Cómo sobreponerse a la ansiedad

Un manual práctico para que la ansiedad deje de controlar tu vida

Izabela Zych

Cómo sobreponerse a la ansiedad

Un manual práctico para que la
ansiedad deje de controlar tu vida

EDICIONES PIRÁMIDE

Director:
Francisco J. Labrador
Catedrático de Modificación de Conducta
de la Universidad Complutense de Madrid

Diseño de cubierta: Anaí Miguel

© Izabela Zych
© Ediciones Pirámide (Grupo Anaya, S. A.), 2011
Juan Ignacio Luca de Tena, 15. 28027 Madrid
Teléfono: 91 393 89 89
www.edicionespiramide.es
Depósito legal: M. 36.795-2011
ISBN: 978-84-368-2564-0
Composición: Grupo Anaya
Printed in Spain
Impreso en Lavel, S. A.
Polígono Industrial Los Llanos. Gran Canaria, 12
Humanes de Madrid (Madrid)

A los que más quiero: mi madre Janina, Mike, Ewa y Sergio y a todos los demás familiares y amigos, en especial a Elisa, Manolo, Francis e Inma y también a Charo. A los que estuvisteis en el pasado, los que me acompañáis ahora y los que llegaréis en el futuro. A los que lleváis mucho tiempo en mi vida y a los que acabo de encontrar.

A mis maestros y compañeros, los que me han enseñado y los que siguen haciéndolo. A los que me acompañan en mi día a día, de cerca y desde la distancia.

A mis alumnos, de los que tal vez he aprendido más que he enseñado.

Y sobre todo a mis pacientes, por darme la oportunidad de caminar a vuestro lado.

ÍNDICE

PRÓLOGO

Por Rosario Ortega Ruiz*

Conocí a Izabela Zych por sus trabajos sobre evaluación de la calidad científica de investigadores, académicos y universidades. Más tarde, descubrí que Izabela se había ocupado también de temas distintos y mucho más relacionados con la ciencia psicológica. Empecé a ver que, detrás de una investigadora en ciencia social que maneja bien la psicometría de hechos y acontecimientos, había una verdadera y apasionada psicóloga clínica, interesada por temas tan relevantes como los procesos depresivos. Todo ello me fue acercando a su perfil de joven investigadora que comprende y trata de hacer comprender a los demás que, más allá de elecciones y rasgos comportamentales de grupos y comunidades, hay seres humanos concretos que aprenden, se emocionan y sufren.

El libro que acabo de terminar de leer es el ejemplo de que Izabela es una joven psicóloga clínica que se ha desarrollado primero como investigadora —como tiene que ser— y que ahora, muy joven aún, quiere hacer público lo que sabe y ponerlo al servicio de los que necesitan ese saber para mejorar la calidad de sus vidas.

Escribo estas palabras desde una nueva perspectiva, en mi relación con Izabela Zych, cuyo apellido revela una extranjería de origen que queda desmentida si uno tiene ocasión de hablar con ella y disfrutar de su perfecto español con esa bonita entonación andaluza que revela su paso por una de nuestras universidades más fructíferas: Granada. Hoy día, nuestra autora reparte su vida profesional entre tres ciudades

---

* Rosario Ortega Ruiz, catedrática de Psicología y directora del Departamento de Psicología en la Universidad de Córdoba.

andaluzas: Huelva, Sevilla y Córdoba, donde se ha converti-do, por sus propios méritos, en un nuevo miembro de nuestro departamento y consecuentemente en una nueva compañera de trabajo. Mi respuesta a su petición de que yo pusiera unas palabras de presentación a su interesante libro tuvo una rápida respuesta: es un honor y una responsabilidad que acepto gustosa.

Cómo sobreponerse a la ansiedad es un libro de fundamento científico que aspira a tener una utilidad práctica. Es un libro, como ella misma afirma, escrito para ayudar. Una ayuda que nunca debe sustituir a la función del psicólogo o la psicóloga cuando una persona siente que está asustada, que padece una ansiedad que le dificulta el pleno disfrute de la calidad de vida que merece. Es un libro de transferencia de conocimiento. Y es que la transferencia de conocimiento es una de las tareas que los universitarios tenemos la obligación de hacer para devolverle a la sociedad lo mucho que nos dio al permitirnos la dedicación profesional a lo que más nos gusta: estudiar, aprender y enseñar. Izabela Zych lo hace muy bien.

Cómo sobreponerse a la ansiedad presenta sin misterios ni palabras técnicas una versión positiva del papel de las emociones en la vida de las personas. De todas las emociones, pero especialmente de aquellas que perturban a quienes las sienten como un repertorio de conductas y sentimientos frecuentes que les hacen infelices. Desde la sencilla pero perfecta definición de qué es una emoción y qué papel tiene como instrumento al servicio de la vida, hasta la ejemplificación de casos y situaciones en las que emergen emociones perturbadoras, el libro va presentando un modelo cognitivo-conductual de abordaje de las emociones que puede convertirse en oportunidades de aprender de uno mismo y de los demás. El libro tiene muchas cosas interesantes, pero posiblemente lo más atractivo del mismo es que es una herramienta para la enseñanza, la orientación y el consejo psicológico, puesta a punto con claridad expositiva y oportunos ejemplos ilustrativos.

La transferencia de conocimiento no es tarea fácil. El peligro de la pedantería o la irrelevancia son los dos monstruos que acechan al académico o investigador que quiere diseminar. En el libro que presentamos, ambos peligros han sido convenientemente superados. El conocimiento que reposa debajo del discurso que el libro nos presenta es impecablemente correcto, sin ser ni pedante ni irrelevante. Por el contrario, a través de casos concretos de personajes y situaciones que generan, o pueden generar, ansiedad y estrés, la autora va desgranando unos sencillos recursos técnicos, de ayuda y orientación, que permiten al lector, cualquiera que sea su especialidad o la motivación por la haya elegido leerlo (la autora se dirige de forma personalizada a su lector o lectora), cómo tratar la emergencia del miedo y la ansiedad para hacer de ellos una señal de alarma al servicio del bienestar y la gestión personal de la vida, evitando que se conviertan en ansiedad patológica y miedo paralizante. Como muy bien afirma la autora, citando a una de nuestras más prestigiosas científicas en psicología clínica (la profesora Cristina Botella), hay que aprender a descubrir lo que la ansiedad, y las emociones en general, tienen de sistema de alarma, de sistema que nos avisa de peligros reales —desgraciadamente, también a veces de peligros imaginarios— para que podamos prevenirlos.

El uso de la racionalidad para leer lo que a veces tienen de oscuro las emociones no es más que un alfabeto que debemos aprender a usar para que, sin quitarle a nuestra vida la riqueza emocional que tiene, se convierta en un lenguaje que dominamos y con el que nos comunicamos con los demás y también con nosotros mismos.

La autora nos va proponiendo, con ejemplos concretos de emociones vinculadas a situaciones y escenarios de la vida cotidiana, cómo aprender a transformar la disruptividad de la emoción percibida fuerte y negativamente en un diálogo con nosotros mismos y con los demás, connotado con la tonalidad emocional y la riqueza interpretativa que cada persona tiene. Se trata de lograr ser nosotros mismos, sin que tengamos que renunciar a esas formas particulares que tenemos de sentir y de impactarnos con los acontecimientos que vivimos e incluso con los que creemos que podríamos vivir (de ahí el miedo neurótico que a veces padecemos). Se trata de aprender a reconocer el amplio repertorio de emociones que acompañan, o puede acompañar, a los momentos y las relaciones que nos son personalmente relevantes y por eso las teñimos de intensidad emocional. Se trata de aprender a no tener miedo de los demás, ni de nuestros propios sentimientos.

Sobre unos fundamentos biológicos del sistema emocional, a los que la autora dedica pocas pero certeras y actualizadas palabras, y un conocimiento técnico y estratégico sobre cómo aprender a dominar y enriquecer nuestra vida emocional, el libro de Izabela Zych está lleno de sabiduría y buen criterio. Pero, sobre todo, está lleno de una perspectiva de psicología positiva que es capaz de explicar procesos y fenómenos, que en principio nos dan miedo, en términos de oportunidades de crecimiento y desarrollo.

Por todo ello, no tengo más que hacer público que es para mí una alegría y un honor recomendar este bonito libro que puede ayudar a las personas que sientan que deberían aprender a manejar mejor su vida emocional. Pero también será muy útil a profesionales de la educación, la psicoterapia y en general del consejo y la orientación psicológicos. Estos últimos encontrarán en él un verdadero banco de recursos para su trabajo diario.

1. ¿QUÉ ES EL MIEDO Y LA ANSIEDAD?

Quedé con mi amiga Laura justo una semana antes de las Navidades para reunirnos en esa fecha tan especial y charlar sobre viejos tiempos. Era invierno y aquel día hizo mal tiempo y anocheció antes de lo habitual. Estaba esperando a Laura en una cafetería del centro de Granada. Pasaron tres cuartos de hora hasta que llegó y se sentó conmigo en la mesa. Me pidió perdón por llegar tarde. Me explicó que, al salir de su casa en Albaicín, cogió el camino habitual para ir al centro, y mientras estaba andando por uno de los callejones oscuros de ese barrio de Granada, pensó que alguien iba a acercarse a ella y atracarla, violarla e incluso matarla. Sintió como su corazón empezaba a acelerarse, todos los músculos de su cuerpo se pusieron tensos y hasta tuvo una sensación de ahogo y mareo que le hizo pensar que se iba a caer al suelo en ese mismo instante. Laura reconoció que se trataba de síntomas de ansiedad y pensó que realmente no era buena idea andar sola por aquellos callejones oscuros. Por ello, decidió coger un taxi y volver a casa. Acepté sus disculpas por el retraso y, finalmente, nos pusimos a charlar y pasamos una noche muy divertida. Todo el asunto del retraso y de los callejones oscuros se nos olvidó enseguida. No obstante, tres semanas más tarde, me acordé de mi amiga Laura, cuando leí en un periódico que una chica acababa de ser acuchillada en uno de los callejones que ella solía coger para ir al centro. Fue entonces cuando pensé que lo mismo pudo haberle pasado a Laura. Sin embargo, ella se dio cuenta del peligro y pudo evitarlo gracias a la ansiedad.

Si estás leyendo el presente libro, entiendo que para ti el miedo y la ansiedad se han convertido en algo muy desagradable y quizás difícil de aguantar. Tal vez estás pensando que la ansiedad te impide vivir plenamente y realizar tareas que te llevarían a una vida feliz. Es posible que pienses que por su culpa te puedes volver loca/o e incluso morir a lo largo de un ataque de angustia. Es completamente normal que pienses de esta manera, dado que la sociedad moderna nos está enseñando que la ansiedad, muy lejos de ser una emoción normal, nos impide tener una vida normal (Luoma, Hayes y Walter, 2007). Para que podamos abordar tu problema, lo primero que necesitamos hacer es explicar qué es la ansiedad, cómo funciona y cuándo es problemática.

EL CEREBRO Y LAS EMOCIONES

Aunque todavía no conozcamos los detalles del funcionamiento del cerebro humano, sabemos que todo proceso psicológico tiene una base biológica. Para poder entender mejor cómo se producen el miedo y la ansiedad, es importante que el lector conozca, grosso modo, cómo se producen las emociones en el cerebro humano. Para acercar los contenidos a los lectores no expertos en este ámbito, la descripción que a continuación se proporciona es bastante simplificada. Estoy convencida de que es suficiente para nuestro propósito. Sin embargo, para los expertos, puede resultar algo esquemática e inexacta. Por ello, a los que estéis especialmente interesados en el tema, os recomiendo consultar libros específicos al respecto.

En términos generales, podemos dividir el cerebro en dos partes, una más nueva y la otra más antigua, heredada de otros animales. La parte más interior es la que compartimos los seres humanos y otros vertebrados y ésta guarda una enorme similitud entre ranas, cocodrilos, perros, gatos y hombres. En relación con las emociones, vamos a describir las tres partes de mayor importancia para nuestro análisis. Éstas son el tálamo, la amígdala y la corteza cerebral.

El tálamo se halla en la parte «antigua» y animal de nuestro cerebro y se puede decir que es un centro de recepción y transmisión de señales provenientes de todos nuestros sentidos, menos el olfato. Por ejemplo, cuando percibimos un estímulo visual, la señal pasa de la retina al tálamo, y de ahí se proyecta a otras estructuras cerebrales.

La amígdala también es una parte antigua y muchos la describen como el centro emocional de nuestro cerebro. Es ésta la parte que activa la reacción emocional y manda señales al cuerpo —a los músculos de la cara, piernas y brazos, a las vísceras— y mediante otras estructuras, contribuye a la emisión de sustancias químicas que cambian el estado de nuestro cuerpo (Damasio, 2001).

Por ende, la corteza cerebral es nuestra parte lógica y humana, la responsable de nuestro pensamiento y ésta es diferente entre el ser humano y otros animales. Es ahí donde analizamos los estímulos y tomamos decisiones racionales e interpretamos la realidad.

¿QUÉ ES LA ANSIEDAD?

Para entender el miedo y la ansiedad, lo primero que necesitamos saber es qué son las emociones en general. A pesar de la gran importancia de este tema, las investigaciones en el campo de las emociones son todavía escasas. No obstante, hay algunos hallazgos muy importantes y, en el presente libro, vamos a basarnos en los de Joseph LeDoux, profesor del Centro de Neurología de la Universidad de Nueva York y autoridad mundial en el estudio de las emociones. Según explica LeDoux (1996), las emociones aparecen mediante dos vías diferentes. La primera tiene que ver con el pensamiento y la interpretación de los hechos y la segunda es más intuitiva e inespecífica y se activa de manera automática. Cuando percibimos un estímulo amenazante, la señal viaja desde el ojo al tálamo y ahí se produce una bifurcación en dos. Una parte viaja a la corteza, donde se analiza y se decide si existe peligro y, si la respuesta es afirmativa, la señal viaja a la amígdala, donde se activa la emoción. Sin embargo, también hay otra parte que viaja directamente del tálamo a la amígdala para activar la emoción antes de que ésta se procese por la corteza. De forma parecida, otro gran científico en el campo de la neurociencia, Antonio Damasio (2001), distingue entre emociones primarias y secundarias. Las primarias son innatas y automáticas y aparecen ante determinadas características de estímulos, como por ejemplo, fuerte ruido, gran tamaño o velocidad, etc. Sin embargo, las emociones secundarias son resultado de nuestro pensamiento. Primero tenemos que percibir e interpretar para después sentir.

Dado que el miedo y la ansiedad aparecen mediante dos vías diferentes, el presente libro postula la necesidad de llevar a cabo dos tipos de intervenciones, una para cada vía. Por un lado, existe la necesidad de trabajar los pensamientos e interpretaciones de los hechos, tal como se ha ido haciendo tradicionalmente desde la vertiente cognitiva de la psicología. Por otro lado, la vía automática debería trabajarse mediante terapias conductuales y, entre ellas, las de última (tercera) generación, tales como la terapia de aceptación y compromiso (ACT). En este libro vamos a presentar unos pasos parecidos a los que se aplican en el Centro de Psicología Izabela Zych, en el que se compaginarán estos dos enfoques. Volveremos a este tema en el último apartado del presente capítulo.

Dado que hoy en día existe una gran confusión acerca de los distintos trastornos de ansiedad, es muy importante entender qué es y cuándo puede ser problemática. En primer lugar, hay que tener en cuenta que se trata de una emoción que tenemos todos los seres humanos, que ha aparecido junto con nuestra especie y nos ha acompañado a lo largo de toda nuestra historia. Es más, incluso son muchos los animales que también la sienten, aunque aparece más bien como miedo en respuesta a una amenaza. A pesar de que sea una emoción totalmente normal, son muchos los pacientes que describen la ansiedad como si fuera un monstruo. Según ellos, es algo que no tiene ninguna utilidad y sólo aparece para dificultarnos la vida. Además, ese monstruo tiene ciertos poderes especiales, dado que es capaz de controlar todo lo que hacemos y alejarnos de nuestros objetivos. Pero, ¿es eso cierto?

En términos generales, el miedo y la ansiedad son emociones que nos indican la existencia de un peligro. Son como un sistema de alarma (Botella y Ballester, 1997) que nos avisa ante las situaciones en las que existe la necesidad de luchar o salir corriendo. Por tanto, se trata de una emoción altamente útil que nos salva la vida en muchas ocasiones. Aunque te pueda resultar muy molesta, gracias a la ansiedad sueles evitar peligros. Es más, si no la tuvieras, probablemente saltarías por la ventana en vez de bajar por las escaleras, irías a los exámenes y entrevistas de trabajo tan relajado/a que no harías ningún esfuerzo para conseguir lo que quieres y además te dormirías hablando en público. La falta de ansiedad sería catastrófica para tu integridad física y mental. El miedo es como el dolor, no es agradable pero es muy útil para indicarnos la existencia de los peligros. Es más, las personas con una enfermedad genética llamada analgesia congénita no sienten dolor y se hacen daño constantemente por medio de golpes, rasguños o quemaduras. Tampoco notan cuándo tienen alguna infección o rotura y, finalmente, el hecho de no sentirlo se convierte en un grave problema para su salud.

Hasta este momento, hemos utilizado los conceptos de miedo y ansiedad prácticamente como sinónimos. No obstante, es importante tener en cuenta que hay ciertas diferencias entre los dos. La principal consiste en que el primero aparece como respuesta a un estímulo concreto, mientras que la segunda tiene que ver con la anticipación al peligro. Por tanto, tenemos miedo cuando percibimos una amenaza, como por ejemplo, un perro enfurecido, un coche que se acerca hacia nosotros a gran velocidad o un fuerte ruido. La ansiedad, sin embargo, es una emoción más difusa y menos específica. Aunque las sensaciones que experimentamos en ambos casos son parecidas, esta última suele ser más compleja y aparece como respuesta a una sensación de peligro subjetiva relacionada con ciertos pensamientos. Aunque haya diferencias entre las dos emociones, entiendo que son lo suficientemente parecidas como para utilizar los dos términos como sinónimos a lo largo de este libro, que no pretende ser un compendio exacto o técnico sino un manual lo más práctico posible.

Este capítulo empieza con el ejemplo de mi amiga Laura, que sintió ansiedad en un callejón oscuro y, gracias a ésta, volvió a casa y evitó ser víctima de un atracador. Antes de que sigas leyendo, te invito a reflexionar sobre aquellas veces en las que el miedo o la ansiedad te ayudaron a sobrevivir o te avisaron de un peligro. No es una tarea fácil, sobre todo cuando la persona sufre de un trastorno de ansiedad que hace que sólo vea la parte negativa de esa emoción. En esos casos, es incluso más importante y útil hacer el esfuerzo de encontrar su enorme parte positiva. No obstante, si realmente lo intentas y aun así no puedes verla en este momento, vuelve a este ejercicio después de haber leído unos cuantos capítulos más. Ten en cuenta que, aunque no encuentres ejemplos, eso no significa que no los haya, sino que más bien quiere decir que en estos momentos no los ves. Para estructurar mejor las situaciones, puedes utilizar el formato propuesto en la siguiente tabla. Veamos un ejemplo.

SITUACIONES EN LAS QUE SENTÍ MIEDO O ANSIEDAD	DE QUÉ PELIGRO ME AVISÓ Y EN QUÉ ME AYUDÓ
— A la hora de conducir, cuando un peatón invadió la calle sin mirar y estuve a punto de atropellarlo.	— Me avisó de la posibilidad de atropellar a ese peatón e incluso de matarlo y me ayudó a reaccionar muy rápido, casi sin pensar, para esquivarlo.
— Cuando presenté mi trabajo de fin de carrera.	— Me avisó de la posibilidad de suspender el trabajo y me ayudó a movilizarme para hacerlo mejor.

SITUACIONES EN LAS QUE SENTÍ MIEDO O ANSIEDAD	DE QUÉ PELIGRO ME AVISÓ Y EN QUÉ ME AYUDÓ

TRES COMPONENTES DE LA ANSIEDAD

El miedo y la ansiedad son emociones complejas y como ya hemos dicho en el apartado anterior, se trata de un sistema de alarma que nos avisa ante peligros. Tal como propone Peter Lang en su teoría clásica (1985), esa emoción contiene tres componentes diferentes que vamos a ver en el ejemplo de Lucía.

Lucía tenía mucho miedo a viajar en avión, y conforme se acercaba al aeropuerto, su ansiedad subía notablemente. Durante todo el camino, se decía a sí misma «el avión se puede estrellar con facilidad», «una máquina tan pesada, volando en el aire, no puede ser segura», o «hay muchos accidentes de aviones, hace poco se estrelló uno en la T4 de Madrid, y además, como tengo mala suerte, seguro que me va a pasar también». A la vez, sentía que su corazón latía cada vez más deprisa. Tenía sensación de mareo, asfixia y opresión en el pecho. Notaba tensión en todo su cuerpo junto con sudoración. En este momento realizaba movimientos rítmicos de piernas, y cuando llegó al aeropuerto, estaba caminando sin parar y diciéndole a su pareja que no quería subirse al avión.

El ejemplo de Lucía demuestra cuáles son los tres componentes del miedo y de la ansiedad.

1. El pensamiento: es el componente crucial de la ansiedad. Aunque no todos seamos conscientes de ello, estamos continuamente hablándonos, y ante una situación de supuesta amenaza, solemos repetirnos una y otra vez pensamientos relacionados con la misma.

23

2. Las sensaciones (fisiológicas): para que un pensamiento se convierta en una emoción, es necesario que nuestro cuerpo responda ante el supuesto peligro. El sistema nervioso autónomo provoca una serie de cambios fisiológicos que causan sensaciones, tales como taquicardia, sudoración, sensación de mareo y asfixia, opresión en el pecho, etc. Todas estas sensaciones son completamente normales y nunca pueden ser peligrosas, aunque sí suelen ser bastante desagradables. Es importante tener en cuenta que los cambios sirven para la lucha o huida. Por tanto, el corazón bombea más sangre para preparar el cuerpo para un esfuerzo físico, la respiración se hace más rápida para aportar más oxígeno, los músculos se tensan para arrancar muy deprisa, etc.

3. El comportamiento: es decir, lo que uno hace en la situación de ansiedad. La persona puede hablar de su problema, moverse de forma nerviosa, salir corriendo o enfrentarse a la situación.

Aunque la ansiedad tenga dichos tres componentes, hay bastante independencia entre los dos primeros y el último. En nuestra cultura, desde pequeños nos enseñan que lo que hacemos depende de lo que pensamos y sentimos, y que primero necesitamos cambiar nuestros pensamientos para poder actuar de la manera deseada. Aunque cueste creerlo, la psicología ha demostrado lo contrario, es decir, podemos actuar de una manera u otra independientemente de nuestros sentimientos y pensamientos (Wilson y Luciano Soriano, 2007). Esto es así, también porque las vías en el sistema nervioso, responsables de lo que sentimos y de lo que hacemos, son diferentes. Lo que uno siente, depende de las estructuras antiguas (las mismas en el ser humano y otros animales) del cerebro, y se transmite mediante el sistema nervioso autónomo, que no depende de nuestra voluntad. Es ese el sistema responsable de procesos tales como el ritmo del corazón, la digestión, la respiración, etc. Todo ello es automático y no podemos hacer gran cosa para cambiarlo voluntariamente y, aunque sí podemos, por ejemplo, dejar de respirar, nuestro control voluntario es a muy corto plazo. No obstante, el movimiento y la gran mayoría de lo que uno hace se genera en las partes del cerebro mucho más nuevas, en la corteza cerebral, y es algo que depende de nosotros. La señal se manda mediante el sistema nervioso musculoesquelético, el mismo que es responsable, por ejemplo, de los movimientos de los brazos o piernas. En su gran mayoría, es algo que sí depende de nosotros. Somos nosotros los que podemos elegir dónde poner nuestro brazo o adónde dirigirnos. Por tanto, hay dos vías diferentes y lo que sentimos es básicamente automático, mientras que lo que hacemos es voluntario. Volveremos a este tema más adelante.

LA ANSIEDAD SANA Y LA ANSIEDAD PATOLÓGICA

Tal como he mencionado a lo largo de este capítulo, el miedo y la ansiedad son emociones que nos ayudan a sobrevivir cuando nos encontramos ante un peligro. No obstante, también existe otro tipo de ansiedad, la que nos estorba y hace que nos sintamos mal, sin ninguna utilidad. Si en estos momentos estás leyendo este libro, probablemente estés experimentando niveles patológicos de ansiedad que, lejos de tener utilidad, sólo hacen que tu vida sea más difícil.

Para distinguir la ansiedad sana de la ansiedad patológica, en primer lugar, debemos analizar cuál es el estímulo que la ha evocado. Ese estímulo puede ser externo, como por ejemplo, un fuerte ruido, un animal, un accidente, etc., o interno, como por ejemplo, un pensamiento o una sensación corporal. La ansiedad sana mantiene equilibrio entre el estímulo y la emoción, es decir, si el primero es fuerte, la segunda también lo es, y si por el contrario el primero es débil, también la emoción es poco intensa. En el caso de la ansiedad patológica, nos encontramos con una fuerte respuesta emocional en la que, o bien no hay un estímulo peligroso, o éste es mucho menor que la misma.

Aquel día de primavera entendí que si no fuese por mi ansiedad sana, no podría ver más pacientes, escribir más libros, disfrutar de más días de sol... En definitiva, si no fuera por mi ansiedad sana, aquel día probablemente hubiese muerto. Quedé con una amiga en Carmona, para hablar sobre temas relacionados con gestiones universitarias, y cuando tomé la salida hacia ese precioso pueblo, iba demasiado rápido. Es cierto que llegaba tarde y conducía deprisa. Todo iba bien, hasta que de repente, vi un coche a unos doscientos metros delante de mí que acababa de saltarse una señal de STOP. Invadió mi carril y se quedó parado, sin saber qué hacer. Pensé que iba a matarme, mi corazón se aceleró notablemente, y sentí cómo todos los músculos de mi cuerpo se tensaron de repente. Empecé a frenar pero pronto entendí que no me daba tiempo y giré rápidamente a la izquierda, y tras esquivar aquel coche, lo hice nuevamente a la derecha evitando el choque frontal con otro coche que venía del otro lado. Después de todo, me sentí agotada, como si hubiese hecho un gran esfuerzo físico. Estuve a salvo, reaccioné con una precisión y rapidez que no son propias de mí. Todo esto, gracias a la ansiedad. También, gracias a ese susto tan grande, entendí que no merecía la pena correr, que uno podía perder la vida por ir con tanta prisa. Desde entonces, ya no lo hago.

Como hemos visto en el ejemplo de mi propia experiencia, la ansiedad puede salvarnos la vida, siempre y cuando se trate de la ansiedad sana. En este caso, el estímulo fue muy fuerte, verdaderamente tenía un coche delante de mí e iba demasiado deprisa. Realmente estaba a punto de morir. El miedo que sentí en aquel momento fue enorme. No obstante, fue sano, dado que se correspondía con aquel estímulo tan peligroso. Sin embargo, la ansiedad no siempre es sana.

María llegaba tarde al trabajo y decidió correr unos cien metros para coger el autobús. Tras ese pequeño esfuerzo, al pararse, notó que su corazón latía fuertemente. En aquel momento, se acordó de una prima suya que acababa de ser ingresada por haber tenido un infarto. Pensó que a ella también podía pasarle, y en aquel momento, sintió cómo la ansiedad se apoderaba de ella, el corazón le latía fuertemente, sentía una gran tensión muscular, tenía un nudo en el estómago y una sensación de ahogo y presión en el pecho. Los síntomas fueron tan fuertes que decidió, en vez de ir al trabajo, acudir a urgencias. Los médicos, después de hacerle pruebas, le dijeron que su corazón estaba perfectamente sano y que lo único que tenía era ansiedad.

La ansiedad de María es completamente diferente a la que he descrito anteriormente en el caso de la maniobra en el coche. En éste, no hubo ningún estímulo externo que pudiera provocarle miedo. Además, su corazón aceleró de forma normal después de haber corrido para coger el autobús. Dicho de otra forma, no hubo ningún peligro. Lo único que le ocurrió a María en ese momento tenía que ver con el recuerdo de su prima que sufrió un infarto. El pensamiento, sin embargo, tampoco suponía una amenaza. Por tanto, la respuesta de María fue completamente exagerada y no se correspondió con la realidad. Como consecuencia, podemos decir que se trata de un ataque de ansiedad patológica. Ésta es como «un dispositivo antirrobo roto» que se dispara ante peligros que, en realidad, no existen (Echeburúa, 1993).

¿CÓMO PODEMOS SOLUCIONAR TU PROBLEMA DE ANSIEDAD?

Tal como hemos explicado a lo largo de este capítulo, la ansiedad aparece mediante dos vías diferentes, una que depende de nuestro pensamiento y la otra que es automática y no está basada en la interpretación de los hechos. Por tanto, en este libro se propone cómo abordar las dos vías con dos intervenciones distintas: el cambio de nuestros pensamientos en la vía consciente y los actos y la aceptación de la vía inconsciente.

Como hemos visto a lo largo de este capítulo, nuestros sentimientos dependen de nuestros pensamientos. Por ello, estos últimos se pueden analizar y racionalizar para, de esta manera, conseguir sentirnos mejor. A la vez, nuestros actos son bastante independientes y por ello también aprenderemos cómo podemos comportarnos de la manera deseada, a pesar de tener pensamientos o sentimientos negativos.

Aunque a veces puedas pensar que te encuentras en un callejón sin salida, y que además estás viviendo en estos momentos una vida vacía, o quizás incluso le pones la etiqueta de «horrible» a tu situación actual, me gustaría transmitirte que, en realidad, estás ante una gran oportunidad. Aunque la ansiedad patológica puede ser verdaderamente desagradable, no es peligrosa y por tanto, estás a salvo. A la vez, tendrás la oportunidad de aprender cómo es esa ansiedad, qué es exactamente y cómo superarla, porque estoy segura de que, con esfuerzo y trabajo, podrás hacerlo. ¡Piensa en todo lo que podrás aprender de esta experiencia! Gracias a esta vivencia, adquirirás conocimientos únicos y para toda la vida. Por ello, me gustaría felicitarte, desde el principio, por la oportunidad que te ha tocado vivir y que has decidido aprovechar para vencer el problema y aprender. Obviamente, si tu problema es serio, es muy poco probable que se solucione mediante la lectura de este, o cualquier otro libro. En estos casos, lo mejor que puedes hacer es consultar a un buen terapeuta que, sin duda, te ayudará a vencer tu problema.

2. DIFERENTES PROBLEMAS Y UN FONDO COMÚN

Aunque podemos hablar de diferentes problemas de ansiedad, hay una serie de características compartidas por todos ellos. Las ansiedades problemáticas tienen un fondo común: miedo patológico que aparece ante situaciones no peligrosas o que suponen una amenaza mucho menor que la reacción que provocan. Sin embargo, es importante que no caigamos en la exageración y no busquemos trastornos donde no los hay. Probablemente, la gran mayoría de los lectores se verán reflejados en más de un problema que se describa a continuación. Es posible que ya te hayas dado cuenta de que, en vez de utilizar el término trastorno, estoy hablando de problemas. A mí no me gusta abusar de los conceptos de trastorno o síndrome, y menos en un libro de autoayuda como éste. Todos solemos tener algunos síntomas de la mayoría de los problemas de ansiedad, unos más y otros menos. Sólo algunas personas tienen realmente trastornos de ansiedad y, para esos casos, sólo un/a profesional de salud mental puede diagnosticarlos.

Por este motivo, en vez de describirlos junto con todos sus posibles síntomas, contaré en este capítulo las historias de diferentes personas que han pasado por mi consulta[1].

Julia se quedó encerrada por culpa de los ataques de ansiedad

Julia tuvo su primer ataque de ansiedad en el instituto, cuando fumó por primera y, a su vez, por última vez, un porro de marihuana. Desde siempre, había tenido mucho miedo a las

---

[1] Los datos de las personas han sido cambiados para garantizar su anonimato.

drogas, pero aquel día cayó y decidió probarla. Fumó unas pocas caladas y después empezó a observarse para determinar si no le pasaba nada físicamente peligroso. Pronto se dio cuenta de que su corazón latía más rápido de lo normal, casi se le salía del pecho, y tuvo la sensación de ahogarse. Estaba completamente mareada y pensó que iba a darle un infarto, tal y como le pasó a su tío hacía unos meses. Recordaba muy bien los síntomas que describió éste, y ahora los veía también en su caso. Desde siempre sabía que las drogas mataban, aunque para nada esperaba que fueran a hacerlo tan rápido. Esa misma noche terminó en urgencias y no se lo pudo creer cuando el médico le dijo que no era nada, que sólo tenía ansiedad. Le administró un ansiolítico y la mandó a casa sin más. Se quedó tranquila, se prometió no tomar drogas nunca más y todo volvió a la normalidad durante unos días. Todo iba bien, hasta que un día fue a un centro comercial en periodo de rebajas, acompañada por su hermana. Había mucha gente, hacía calor y Julia empezó a experimentar sensaciones corporales parecidas a las que vivió la noche de su primer ataque. Sintió calor, después mareo y mucha taquicardia y pensó que iba a darle un infarto. Esta vez no tomó drogas pero su ataque fue igual de fuerte. Salió corriendo del almacén y no volvió a ir en periodos de calor y de muchas aglomeraciones. Desgraciadamente, esta solución tampoco fue buena, dado que Julia experimentó muchos más ataques, en autobuses, bares, supermercados y a la hora de conducir. Se acostumbró a vigilar sus sensaciones corporales y a medir su pulso con los dedos cada poco tiempo, para asegurarse de que su corazón funcionaba bien. Pensó que iba a morir durante uno de esos ataques, de un infarto o ahogada, y que eso todavía no había pasado porque siempre conseguía salir corriendo. A la vez, su vida se vio muy limitada, quedándose prácticamente encerrada en su casa. Ya no conducía ni tampoco se montaba en los medios de transporte público, evitaba acudir a los lugares donde había experimentado ataques y sólo se sentía segura en su propia casa.

Las principales características del problema de Julia se incluyen en la siguiente tabla:

CIRCUNSTAN-CIAS	QUÉ PIENSA	QUÉ SIENTE	QUÉ HACE
• Fumar un porro y experimentar sensaciones corporales poco comunes. • Estar en un centro comercial con mucha gente. • Montarse en un autobús, un tren o un coche. • Encontrarse en cualquier sitio de donde no se puede salir fácilmente.	• Me va a dar un infarto. • Me moriré ahogada. • Tendré un ataque, no podré salir de aquí y me pasará algo horrible.	• Miedo. • Taquicardia. • Ahogo. • Mareo.	• Salir corriendo cuando nota sensaciones corporales «extrañas». • Evitar sitios donde puede experimentar un ataque. • Tomarse el pulso y vigilar sus síntomas corporales.

Juan se quedó en tierra porque tenía fobia

Juan era un hombre feliz con pocos problemas y preocupaciones. Tenía un trabajo estable, una mujer con la que se llevaba bastante bien y dos hijas adolescentes con las que discutía sólo de vez en cuando. Su problema era muy específico, pero afectaba de una forma muy significativa a su día a día. Su hermano, más joven que él, se fue un tiempo a los Estados Unidos, conoció a una mujer y decidió quedarse ahí a vivir. Todo estaría muy bien, no obstante, Juan no se creía capaz de visitar a su hermano, ni ahora, ni nunca, y ni siquiera creía que pudiera asistir a su boda dentro de aproximadamente un año. Estaba desesperado, porque su hermano significaba muchísimo para él y no quería decepcionarle. No obstante, se sentía totalmente incapaz de montarse en un avión. El mero hecho de mencionar incluso la palabra avión hacía que Juan sintiese una fuerte ansiedad, acompañada de un nudo en el estómago *y taquicardia. Estaba convencido de que la máquina se iba a estrellar si él se montase, que le iba a tocar a él, aunque por supuesto, las probabilidades fueran pequeñas. Lo intentó una sola vez. Se compró un billete para los Estados Unidos, facturó la maleta y, finalmente, no subió al avión. Todos los pasajeros tuvieron que esperar para que le devolvieran su equipaje y perdió más de tres mil euros, dado que su mujer y sus hijas se negaron a viajar sin él en esas condiciones. No obstante, en ese momento, a Juan todo le daba igual, porque estaba convencidísimo de que aquel avión se iba a estrellar y que iba a morir. Después se arrepintió muchas veces porque sabía que su miedo era absurdo e irracional.*

CIRCUNSTAN-CIAS	QUÉ PIENSA	QUÉ SIENTE	QUÉ HACE
• Montarse en un avión. • Hablar de aviones. • Reservar billetes de avión, mirar viajes por Internet, etc.	• El avión se va a estrellar y voy a morir. • Aunque no sea normal que un avión se estrelle, a mí me va a pasar porque tendré mala suerte.	• Miedo. • Nudo en el estómago. • Taquicardia. • Ganas de salir corriendo.	• Evita situaciones en las que se habla de aviones. • No viaja en avión. • Se queda en tierra en el último momento.

Marcos apenas hablaba porque era excesivamente tímido

Marcos sentía mucha ansiedad cuando hablaba con personas desconocidas, sobre todo cuando éstas le evaluaban. Habitualmente, creía que pensaban mal de él y que le veían tonto porque suponía que con frecuencia decía tonterías. Intentaba controlar su ansiedad en cada momento, dado que pensaba que los demás se darían cuenta, haría el ridículo y además todo el mundo pensaría que es un bicho raro. Por eso, ya desde el instituto, evitaba preguntar en clase y no se acercaba a los chi-

cos que le gustaban. Sólo ha tenido un novio pero dejó la relación después de un mes, dado que estaba convencido de que su pareja también pensaba mal de él y que iba a dejarlo pronto. Estaba a punto de buscar trabajo, pero le atormentaba la idea de hacer entrevistas e incluso de echar currículums, dado que pensaba que lo haría mal y que todo el mundo se reiría de él o le criticaría.

La siguiente tabla presenta algunos ejemplos de los tres componentes de la ansiedad de Marcos junto con las circunstancias en las que aparecen.

CIRCUNSTAN-CIAS	QUÉ PIENSA	QUÉ SIENTE	QUÉ HACE
• Hablar con desconocidos. • Estar delante de un grupo de gente. • Hacer una entrevista de trabajo.	• Van a pensar que soy un tonto. • Se reirán de mí y voy a hacer el ridículo. • Soy un cobarde y no merezco ser respetado.	• Vergüenza. • Ansiedad. • Sentimiento de culpa. • Nudo en la garganta y en el estómago. • Taquicardia.	• Evitar hacer preguntas. • No acudir a reuniones con desconocidos. • No echar currículums y no hacer entrevistas de trabajo.

Las obsesiones no se iban de la cabeza de Carlos

Carlos luchaba, día tras día, con sus pensamientos recurrentes que le decían que su mujer tal vez ya no lo quería. Aunque sabía que éstos no tenían una base sólida, dado que no había nada que los corroborara, le asaltaban de repente y le provocaban mucha ansiedad. Carlos pasaba horas muy ansioso, no podía concentrarse y sentía un nudo en la garganta. A veces, notaba cómo le temblaban las manos. En otras ocasiones, se despertaba por la noche, miraba a su pareja y ya no volvía a dormirse pensando (o intentando no pensar) una y otra vez lo mismo. Entonces, la despertaba para preguntarle si todavía le quería, y cuando ésta le daba una respuesta afirmativa, se que-

daba tranquilo durante un tiempo. Pronto, los pensamientos volvían y cada vez con más fuerza y Carlos siempre pedía la confirmación de su mujer, estuviera despierta o dormida, con él en casa o en el trabajo. Sus problemas se agravaban cuando su mujer pasaba más de cinco horas seguidas fuera de casa. La llamaba incluso durante las clases que impartía y ella salía del aula desesperada para decirle que seguía queriéndole igual. Todo esto se convirtió en una especie de ritual, en el que Carlos marcaba el número de teléfono de su pareja de una manera determinada: tres veces con el dedo en el que llevaba la alianza y recordando siempre momentos bonitos. Muchas veces repetía el ritual durante una hora seguida porque consideraba que no había pensado suficientemente «bien» las tres veces.

CIRCUNSTAN-CIAS	QUÉ PIENSA	QUÉ SIENTE	QUÉ HACE
• Estando solo en casa. • Cuando su pareja permanecía fuera de casa durante más de cinco horas seguidas. • Por las noches.	• Mi mujer ya no me quiere como antes y eso es horroroso y terrible. ¡No puedo soportarlo!	• Ansiedad. • Nudo en la garganta. • Temblor de manos.	• Despertar a su mujer para preguntar si le sigue queriendo. • Llamarla por teléfono varias veces al día. • Realizar un ritual durante horas marcando el número de una manera determinada y «a la perfección».

Los recuerdos del trauma estaban siempre en la vida de Jaime

Jaime tuvo la desgracia de experimentar una vivencia realmente traumática. Unos tres años después de casarse, cuando su mujer y él eran todavía un matrimonio joven, la pareja salió de fiesta y se

dirigió a su casa sobre las tres de la madrugada. Tres hombres asal-
taron a la pareja, amenazaron a Jaime con una navaja y violaron
a su mujer delante de él. Jaime sintió terror, rabia y un miedo ho-
rroroso y lo peor de todo fue que no pudo hacer nada. Se sintió to-
talmente impotente y desamparado. Todo esto fue horrible y, des-
graciadamente, no acabó aquella noche. El ver a cualquier hombre
con rasgos parecidos a los agresores, cualquier sitio parecido a
aquel callejón, una imagen o un sonido, le hacían revivir la situa-
ción. Con frecuencia tenía la sensación como si aquel suceso estu-
viese ocurriendo de nuevo y sentía el mismo terror. Estaba conti-
nuamente en alerta y evitaba las situaciones que le recordaban el
acontecimiento. Incluso perdió contacto con su hermano, dado
que éste fue la última persona con la que habló antes del asalto y
ahora el hecho de verle, le recordaba lo ocurrido. Nunca permane-
cía fuera de su casa más tarde de las diez de la noche. Cuando nos
conocimos, ya habían pasado tres años desde aquel episodio. Mien-
tras tanto, la ansiedad y los recuerdos habían traído tantos proble-
mas a la pareja que estaban a punto de separarse.

CIRCUNSTAN-CIAS	QUÉ PIENSA	QUÉ SIENTE	QUÉ HACE
• Ver a un hombre con rasgos parecidos a los agresores. • Encontrarse en un sitio parecido al lugar de los hechos. • Estar en la calle por la noche.	• No me pue-do fiar de nadie. • El mundo es un lugar muy peli-groso. • Lo que ocurrió fue culpa mía. • Tenía que haber hecho algo para evitarlo. No tenía que haber permi-tido haber-nos quedado hasta muy tarde.	• Ansiedad. • Culpa. • Tensión. • Náuseas y ganas de vomitar. • Dolor en el pecho.	• Evitar los pensamien-tos sobre el evento. • No hablar con gente que se pa-rezca a los agresores. • No salir de casa des-pués de las diez. • Dejar de ver a su herma-no.

María tenía miedo a todo

María era una mujer que presentaba muchos miedos diferentes y continuamente sentía ansiedad. Todo el mundo le decía que se tomaba las cosas demasiado a pecho y sus hijos se enfadaban con ella porque no les dejaba hacer actividades cotidianas, tal y como hacían las madres de sus amigos de la misma edad, como montar en bicicleta o quedarse una noche en casa de un/a compañero/a. Todo esto estaba motivado por un temor muy grande acerca de la salud de sus hijos y también del resto de los familiares. María estaba convencida de que el mundo era un lugar muy peligroso y que en cualquier momento iba a pasar algo horrible. El mismo problema se presentaba también en su trabajo, dado que estaba convencida de que pronto iba a meter la pata. María era limpiadora e iba al trabajo con mucho miedo, puesto que pensaba que algún día iba a dejar el suelo demasiado mojado y que alguien se caería por su culpa, se rompería los brazos y las piernas e incluso moriría de un golpe en la cabeza. Si esto no pasase, temía que la despidieran sin motivo así como tener problemas económicos. Para tranquilizarse, María llamaba por teléfono a su marido unas 20 veces al día, estaba extremadamente atenta a cualquier señal de descontento de su jefa y hacía un esfuerzo mucho mayor de lo común en su trabajo para dejar los suelos siempre muy secos. Aun así, seguía teniendo ansiedad prácticamente a diario y se encontraba agotada, con dolores de cabeza y espalda, nudo en el estómago y problemas de sueño.

CIRCUNSTAN-CIAS	QUÉ PIENSA	QUÉ SIENTE	QUÉ HACE
• Estar en el trabajo, a primera hora, cuando los trabajadores se dirigen a sus oficinas, encontrándose el suelo ligeramente húmedo. • Su marido no le coge el teléfono. • Su hijo sale a jugar en el patio. • Estar sola en casa.	• Algo horrible le va a pasar a mi familia, tendrán un accidente y se morirán. • Me van a echar del trabajo y tendré graves problemas económicos. • Alguien se va a caer por mi culpa y se va a hacer un daño horroroso.	• Ansiedad. • Culpa. • Cansancio extremo. • Dolores de cabeza y musculares.	• Llamar por teléfono a su marido más de 20 veces al día. • No dejar que sus hijos hagan actividades que ella considera de riesgo (ej. montar en bicicleta). • Invertir mucho tiempo y energía en secar bien los suelos.

Si estás leyendo el presente libro, probablemente tengas ansiedad que consideres demasiado fuerte y patológica. Espero que la lectura de los diferentes casos que acabo de describir no te haya llevado a pensar que tienes todos los trastornos de ansiedad del mundo y que en realidad estás mucho peor de lo que parecía, porque te has visto identificado/a con todos sus protagonistas. ¡Nada más lejos de la realidad! La ansiedad necesita tratamiento sólo si nos provoca un sufrimiento importante en nuestras vidas. Todos solemos tener síntomas de casi todos los trastornos de ansiedad, y eso es totalmente normal y no tiene por qué preocuparte. Si tienes miedo, es una buena señal, significa que estás vivo/a. Te invito a buscar soluciones sólo si el problema te afecta de forma significativa en tu vida y, si eso es así, aparte de leer este libro, sería muy importante consultar a un/a psicólogo/a especialista en ansiedad. El libro te puede ayudar si llevas a la práctica lo leído, pero nunca puede sustituir la labor de un/a terapeuta. Igualmente, en varias ocasiones, puedes beneficiarte también de la medicación prescrita por un buen psiquiatra, aunque todos estos asuntos sólo pueden ser valorados por personas cualificadas.

Dicho todo esto, te invito ahora a que hagas ese mismo análisis de tu problema de ansiedad. Igual que en los casos de las personas que acabo de describir, te propongo contar en unas cuantas líneas tu problema y después, recoger en una tabla las circunstancias en las que se presenta, los pensamientos, los sentimientos y las conductas que incluye.

Título de tu historia: _____
(apunta tu nombre y un título corto como en los casos anteriores)
Describe tu ansiedad:

_____
_____
_____
_____
_____
_____
_____
_____
_____
_____
_____
_____
_____
_____
_____
_____
_____
_____
_____
_____

Rellena la siguiente tabla:

CIRCUNSTAN-CIAS	QUÉ PIENSO	QUÉ SIENTO	QUÉ HAGO

Ahora, te propongo que reflexiones sobre tu problema. ¿Con qué historia de las descritas anteriormente te identificas más? ¿Parece que todo te da miedo, como a María? ¿Realizas rituales promovidos por pensamientos automáticos como Carlos? ¿O más bien temes en exceso el qué dirán como Marcos? Apunta tus reflexiones antes de seguir leyendo. En el siguiente capítulo vamos a intentar esclarecer un poco más estas cuestiones y evaluar tu ansiedad.

Reflexiones sobre mi problema:

_____

_____

_____

_____

_____

_____

_____

_____

_____

_____

_____

3. EVALÚA TU ANSIEDAD

Para poder abordar tu problema de ansiedad, en primer lugar, necesitamos conocerla y evaluarla. No es una tarea fácil e incluso a los especialistas de la salud mental les resulta muy complicado conocer cuál es exactamente el problema de sus pacientes. No obstante, se trata de un paso crucial. Por tanto, te recomiendo compaginar la lectura de este libro con tratamiento psicológico, mediante el cual podrás descubrir cuál es el problema y cómo tratarlo. A la vez, el presente libro también te proporcionará claves para la evaluación y posterior ayuda en la solución del mismo.

Cuando las personas con ansiedad patológica acuden a mi consulta, al principio suelo preguntarles si han ido al médico y se han hecho pruebas pertinentes. Si la respuesta es negativa, se lo pido antes de empezar el tratamiento. Es muy importante conocer el estado de salud de las personas con ansiedad y más todavía cuando lo que pretendemos aquí es empezar un programa de autoayuda. Es así porque necesitamos tener la seguridad de que los síntomas que presenta la persona efectivamente se deben a la ansiedad y no a una causa física. A la vez, hay que tener en cuenta el estado de salud a la hora de realizar diferentes ejercicios que servirán para vencerla y también para que el paciente tenga la tranquilidad a la hora de experimentar sensaciones, sabiendo que éstas son producto de su mente[1] y no de una patología física. Resumiendo, te recomiendo acudir al médico, comen-

---

[1] Ten en cuenta que el hecho de que los síntomas sean producto de tu mente no significa en absoluto que sean imaginarios o que no sean reales. Somos capaces de provocar síntomas reales (ej. taquicardias, nudo en el estómago, sensación de ahogo) con nuestra mente.

tarle tu problema de ansiedad y pedirle que te haga pruebas para confirmar que su origen es psicológico. Éste será uno de los primeros pasos a dar en el proceso de evaluación.

CÓMO ME AFECTA LA ANSIEDAD

Si estás leyendo el presente libro, probablemente estés luchando contra la ansiedad que hace que no puedas llevar a cabo actividades importantes para tu vida. En la mayoría de las ocasiones, la ansiedad que nos hace sufrir es la que tiene que ver con algo que uno quiere hacer. Para entender mejor lo dicho anteriormente, vamos a ver el siguiente ejemplo:

Alicia es una mujer de 35 años que lleva más de quince años trabajando como peluquera. En todo este tiempo, su vida laboral ha sido muy satisfactoria, ha aprendido muchas nuevas destrezas y hasta ha ganado algunos concursos. Hasta este momento, nunca se había quejado de la ansiedad. No obstante, ésta apareció de repente y actualmente es un problema muy importante en la vida de Alicia. Esta emoción persistente apareció cuando un amigo, también de la misma profesión, le ofreció a Alicia dar clases como profesora en una escuela de nueva apertura para peluqueros. Fue entonces cuando descubrió que tenía un gran miedo escénico y se creía incapaz de desempeñar la labor de profesora. Todo ello hizo que Alicia se sintiese fracasada y sin posibilidad de desarrollarse a nivel profesional.

El ejemplo de Alicia muestra dos importantes facetas de la ansiedad:

— Suele aparecer como respuesta a ciertas circunstancias vitales, y por tanto, se observa dentro de un contexto.
— Es problemática cuando hay ámbitos de nuestra vida que se ven afectados.

Si analizamos la situación de Alicia, nos daremos cuenta de que probablemente lleva toda la vida teniendo miedo escénico. No obstante, éste nunca ha sido un problema para ella, dado que no interfería en su vida y, por tanto, incluso podemos decir que ha pasado desapercibido. El miedo ha supuesto un problema cuando ha parecido ser un obstáculo para conseguir lo que quería.

Es muy probable que tú también creas que la ansiedad es un obstáculo en el camino hacia una vida plena y feliz. Por tanto, antes de que sigas leyendo, te recomiendo que te pares y reflexiones sobre ello. Para facilitarte esa labor te invito a responder por escrito a las siguientes preguntas.

¿En qué circunstancias aparece la ansiedad?

_____
_____
_____
_____
_____

¿Por qué es problemática para ti? ¿Qué crees que te dificulta?

_____
_____
_____
_____
_____

¿Qué harías si no la tuvieras?

_____
_____
_____
_____
_____

¿Cómo crees que puedes solucionar este problema?

_____

_____

_____

_____

_____

CONSECUENCIAS DE LA ANSIEDAD PATOLÓGICA

Lógicamente, todos sabemos que a largo plazo las consecuencias de la ansiedad patológica son negativas. Lo que se nos olvida con mucha frecuencia es que, si el problema se mantiene, tiene que haber algún motivo para ello. Los estudios psicológicos nos demuestran que los problemas se mantienen si se refuerzan, lo cual, coloquialmente hablando, significa que la persona obtiene beneficios, normalmente a corto plazo. Eso sí, la mayoría de mis pacientes no son conscientes de los mismos.

¿Te acuerdas de los problemas de Julia, Juan, Marcos, Carlos, Jaime y María, descritos en el capítulo anterior? ¿Qué beneficios a corto plazo obtenían gracias a sus problemas de ansiedad? Vuelve al capítulo anterior y reflexiona sobre este tema antes de seguir leyendo.

Todos ellos obtenían dos beneficios importantes. Por un lado, sentían alivio cuando realizaban acciones para tranquilizarse. Por ejemplo, María se sentía muy aliviada por unos minutos después de haber llamado a su marido, Carlos notaba tranquilidad cuando su mujer le decía que le quería y Juan se relajaba muchísimo cuando salía corriendo del aeropuerto. En todos los casos, ese alivio aparecía a corto plazo, para después convertirse en nuevos episodios de tensión incluso más fuerte. No obstante, el alivio momentáneo era, sin duda, uno de los beneficios. El otro consiste en la evitación del problema al que no queremos enfrentarnos, «gracias a la ansiedad». Marcos, por ejemplo, no tenía que hablar en público «porque tenía ansiedad», Jaime evitaba salir a la calle de noche y Julia no iba a supermercados. Ya que todos ellos tenían ansiedad, esas acciones suponían esfuerzo y no eran agradables. A la vez, evitaban llevarlas a cabo «gracias a la ansiedad» que funciona como un arma de doble filo: hace que no queramos encontrarnos en una situación y, a la vez, «nos protege» de la misma, limitándonos y encerrándonos cada vez más a largo plazo.

Todos esos beneficios a corto plazo están presentes en los problemas de ansiedad y, por eso, éstos se pueden mantener. En ocasiones, aparecen también beneficios a largo plazo y esos son casos aun más graves. Por mi consulta han pasado parejas que se mantenían «gracias a la ansiedad», o personas con todo tipo de comodidades y muy pocas obligaciones protegidas por sus familiares y encerradas en una burbuja porque estaban ansiosas. Suelen ser personas muy infelices que viven encerradas y sin poder perseguir lo que realmente les importa en la vida. Veamos un ejemplo:

Elena sufría problemas de ansiedad y consiguió solucionarlos gracias a nuestras sesiones de terapia y, sobre todo, a su trabajo diario y el gran empeño en salir adelante. Curiosamente, cuanto mejor se encontraba, peor se llevaba con su marido, que hasta le prohibió asistir a las sesiones diciéndole que «la psicóloga le comía la cabeza». Elena estaba muy limitada por su problema y, cuando tenía ansiedad, prácticamente no salía de casa. Ahora empezó a quedar con sus amigas y reapareció el gran problema de celos patológicos de su marido que tenían antes de que Elena tuviera ansiedad. Ya casi no se acordaba de él. Al fin y al cabo, cuando estaba encerrada en casa, no había celos. También empezaron a tener problemas con la distribución de tareas domésticas porque Elena decidió trabajar fuera de casa y ejercer la profesión con la que siempre había soñado. Su marido se lo prohibía pero, ahora, habiendo desaparecido la ansiedad, ella ya no tenía motivos para no hacerlo.

Tal como se ha descrito en este apartado, la ansiedad tiene beneficios a corto y a veces incluso a largo plazo. En este momento, te invito a reflexionar sobre tu problema de ansiedad y a responder a las siguientes preguntas:

¿Sientes alivio «gracias a tu ansiedad»? ¿Cuándo?

_____

_____

_____

_____

_____

¿Qué beneficios obtienes? ¿Evitas situaciones desagradables a corto y quizás a largo plazo? ¿Cuáles?

_____

_____

_____

_____

_____

¿Qué consecuencias negativas te encuentras a medio o largo plazo?

_____

_____

_____

_____

_____

ANÁLISIS DE LOS TRES COMPONENTES DE LA ANSIEDAD

Tal como he descrito en el capítulo anterior, se pueden distinguir tres componentes de la ansiedad. Por un lado, nos encontramos con los pensamientos que nos decimos a nosotros mismos y que contienen amenaza. Éstos están muy relacionados con el segundo componente, las reacciones fisiológicas y sensaciones. El tercer componente es la conducta, es decir, lo que uno hace cuando experimenta ansiedad que, como ya hemos mencionado, es bastante independiente de los primeros e iremos aprendiendo esa independencia a lo largo de este libro. Por tanto, te recomiendo apuntar cuáles son los tres componentes de la ansiedad en tu caso (descritos en el capítulo 1). Para ello, responde a las preguntas que he incluido a continuación.

¿Cuáles son tus pensamientos a la hora de experimentar ansiedad?

_____

_____

_____

_____

_____

¿Cuáles son las sensaciones que experimentas en momentos de ansiedad?

_____

_____

_____

_____

_____

¿Qué es lo que haces cuando tienes ansiedad?

_____

_____

_____

_____

_____

Para encontrar respuesta a las tres preguntas planteadas anteriormente, es necesario tener un nivel de autoconocimiento y autoobservación muy alto. La práctica en el campo de la psicología nos enseña que, incluso las personas muy conscientes de sus propios estados y reacciones, no son capaces de reproducirlos con exactitud. Por ello, te he propuesto responder a las tres preguntas como una primera aproximación, basada en lo que ya sabes sobre tu ansiedad. El siguiente paso consistirá en la recogida de datos en los momentos de ansiedad o justo después de haberlos vivido. Para ello, es necesario utilizar un registro en el que apuntaremos cuáles han sido las circunstancias en el momento de ansiedad y también los tres componentes de la misma. Igualmente, he añadido la columna referente a las consecuencias, tal y como se describen en el apartado anterior. Este paso es crucial para conocer con exactitud tu ansiedad.

CIRCUNSTAN-CIAS	¿QUÉ ES LO QUE PIEN-SAS?	¿QUÉ REAC-CIONES FISIO-LÓGICAS / SENSACIONES TIENES?	¿QUÉ HACES?	CONSE-CUENCIAS

Veamos un ejemplo:

CIRCUNS-TANCIAS	¿QUÉ ES LO QUE PIEN-SAS?	¿QUÉ REAC-CIONES FISIOLÓGICAS / SENSACIO-NES TIENES?	¿QUÉ HA-CES?	CONSECUEN-CIAS
Presentar un trabajo delante de los compañeros.	Me voy a poner rojo, diré muchas tonterías y todos pensarán que soy tonto.	Me tiembla todo el cuerpo, tengo la boca muy seca y siento como si mi estómago estuviera dando vueltas.	Le digo a mi jefe que tengo una llamada urgente y salgo de la reunión.	Siento mucho alivio y desaparecen todas las sensaciones desagradables. Consigo evitar tener que presentar (y prepararme bien) el trabajo. A medio plazo, mi jefe me regaña y se enfada conmigo. A largo plazo, creo que mi trabajo está en peligro.

Cuanto más tiempo de registro transcurra, mejor será tu conocimiento del problema. Para poder hacerte una idea, hace falta que lo lleves a rajatabla al menos durante unas semanas. No obstante, tal y como ya he comentado, cuantas más semanas lo realices, mejor.

Como habrás visto, este registro es muy parecido a la tabla que hicimos al final del capítulo anterior. ¡No es por casualidad! Curiosamente, las personas suelen sorprenderse mucho cuando tienen la oportunidad de reflexionar primero sobre su problema de ansiedad y, posteriormente, registrarlo a tiempo real en su día a día. En la gran mayoría de las ocasiones, los registros aportan información hasta entonces desconocida y el individuo se da cuenta de que, en realidad, no sabía muy bien cómo funcionaba. Por este motivo, te propongo que lleves el presente registro durante unas semanas y que lo compares posteriormente con lo que escribiste en la tabla del capítulo anterior.

HABLA CON LAS PERSONAS CERCANAS

Para conseguir más datos sobre tu problema puedes también hablar con personas cercanas que hayan tenido la oportunidad de observarte en momentos de ansiedad. Soy totalmente consciente de que hay muchas personas que se avergüenzan de tener ansiedad patológica y no la comparten con nadie. A la vez, también son muchos los que apenas tienen gente a su lado, sobre todo en casos de ansiedad social y extrema timidez. Por ello, si no tienes a nadie con quien hablar, no estás solo. Son muchísimos mis pacientes con ese mismo problema. Si es así, te recomiendo más todavía acudir a un/a psicólogo/a, que será la persona con la que compartirás tu problema. Este tema se retomará en el siguiente capítulo.

Si no tienes a nadie con quien puedas compartir tu problema, no te preocupes. Existen otras soluciones que no involucran a los demás. Sin embargo, si hay alguien que te ha

53

observado y ha compartido contigo los momentos de ansiedad, nos puede servir como una fuente de información muy
valiosa. Por tanto, te aconsejo que comentes con esa persona
todos los aspectos que hemos mencionado a lo largo de este
capítulo y que responda a las mismas preguntas que has
contestado tú. Las respuestas de los demás, te servirán para
tener otro punto de vista y reflexionar aún más sobre tu problema. Apunta la información a continuación.

¿Cómo ven los demás mi problema? ¿Qué es lo que me
ocurre según su punto de vista?

_____
_____
_____
_____
_____

4. PREPÁRATE PARA EL CAMBIO

ENCUENTRA APOYO SOCIAL

Para que la ansiedad deje de ser un problema para ti, es muy importante que tengas personas que te ayuden a superarla. En primer lugar, te recomiendo que busques un buen psicólogo si consideras que tu problema es lo suficientemente serio como para interferir notablemente en tu vida. A la vez, será más fácil solucionar este problema si tienes la oportunidad de contar con la ayuda de otras personas, tales como familiares, amigos o la pareja. Aunque son muchas las personas que sienten vergüenza cuando padecen problemas de ansiedad patológica, sería muy bueno que lo comentaras con alguien de confianza que pudiera apoyarte en el proceso de su superación. Esta persona puede incluso acompañarte al psicólogo.

CÓMO PUEDEN AYUDARTE LAS PERSONAS CERCANAS Y CÓMO PUEDES HACERLO TÚ

Muchos de los pacientes que pasan por mi consulta están solos o no encuentran personas en su entorno con las que compartir su problema. Otros, sin embargo, conviven con una o varias personas que les están ayudando en su día a día. Si éste es tu caso, en este apartado comentaré cuál es la mejor forma de apoyar a una persona con problemas de ansiedad, para que se lo transmitas a éstas o para que lo lean ellas mismas. Si no encuentras a nadie que te pueda ayudar, no te preocupes, dado que también podrás hacer los ejercicios por tu cuenta. Por tanto, la primera parte de este apartado describe cómo pueden apoyarnos las personas cercanas y, en la segunda, comento cómo podemos hacerlo nosotros/as mismos/as.

Dado que los familiares y amigos no son profesionales de la salud mental, al menos en la gran mayoría de los casos, no tienen formación ni habilidades para manejar un problema de ansiedad. No obstante, su rol puede ser sustancial en el proceso de superación de la misma. Lo mejor que pueden hacer es motivarnos para que, poco a poco, vayamos saliendo de ese callejón del que, hasta hace poco, parecía no haber salida. Sin embargo, no es una tarea fácil, puesto que la forma más común y automática a veces suele ser contraproducente.

Cuando nos encontramos con una persona que sufre de ansiedad, la conducta más frecuente consiste en protegerla del supuesto peligro. Si a alguien le da miedo conducir, entonces creemos que podríamos ayudarle conduciendo nosotros. Si la persona no quiere acudir a ciertos lugares, los evitamos o la acompañamos para que se sienta segura. Este *modus operandi* suele ser eficaz a corto plazo. No obstante, a largo plazo, produce dependencia y hace que la persona sienta que realmente no es capaz de enfrentarse a las situaciones que le provocan ansiedad.

Otra conducta muy común que solemos practicar es desahogarnos con nuestros amigos y familiares, contándoles todas nuestras penas y lo mal que lo estamos pasando. A corto plazo, sentimos alivio y pensamos que, de esta manera, podemos encontrarnos mejor. No obstante, quejarse por quejarse y reafirmarnos en nuestros pensamientos negativos repitiéndolos una y otra vez no nos ayuda a superar la ansiedad. Al revés, más bien, la empeora. Es mucho mejor que nuestro amigo/a nos ayude a cuestionar los pensamientos que están en la base de nuestra ansiedad y que busque con nosotros evidencia para desmentirlos.

Por todo lo que hemos dicho anteriormente, sería bueno tener en cuenta que, para que nuestros allegados puedan ayudarnos, es importante que refuercen nuestra parte positiva, por más grande o pequeña que fuese. Por ello, podemos centrarnos en nuestros logros y compartir los pasitos dados hacia nuestra recuperación. Por su parte, ellos pueden expresar su alegría y reconocer cada avance, diciéndonos que es un paso hacia adelante y que nos acerca a nuestro objetivo. De esta manera, ellos nos verán capaces y nosotros también podremos contagiarnos de esa visión. Además, conseguiremos tener su atención y su cariño cuando actuemos de una forma que nos acerque a nuestros objetivos, y no cuando actuemos justo en el sentido contrario. Eso aumentará nuestra motivación para mejorar. Por tanto, es importante que nos escuchen y nos ayuden cuando vayamos hacia la mejoría y que no se centren en nuestro malestar y en las conductas desadaptativas. Ese problema surgió en el caso de mi paciente Anabel.

Anabel tenía ansiedad social y su marido, Pablo, tenía muchas ganas de ayudarle y apoyarla en todos los aspectos. No obstante, sin darse cuenta, le prestaba especial atención cuando Anabel no se sentía con fuerza para hablar con desconocidos. La acompañaba frecuentemente para ir de compras y hablaba con los/as dependientes/as pidiendo ropa de otro color u otra talla. También iba con ella a los médicos para explicarles qué le ocurría. De esta manera, Anabel no se enfrentaba a las situaciones que le provocaban miedo y él reforzaba, sin querer, esta situación. Por el contrario, cuando Anabel se atrevía a hablar, Pablo le decía que no entendía por qué no lo hacía siempre y, cuando ella mejoró un poco, dejó de acompañarla para ir de compras porque entendió que ella ya no lo necesitaba. De esta manera, «castigó» esa mejoría porque Anabel recibió menos atención y menos cariño cuando se encontró mejor. Menos mal que Pablo entendió rápidamente el problema y empezó a mostrar alegría y acompañar a Anabel con más ganas cuando veía que se manejaba mejor en situaciones sociales.

Un ejercicio que puede ser de utilidad para nuestros allegados a la hora de apoyarnos es llevar a cabo un registro de nuestras mejorías y de cualquier cosa que les guste de nuestro comportamiento. De esta manera, centrarán su foco de atención en nuestros puntos fuertes y, por supuesto, es importante que nos los hagan ver. Así, nosotros también nos daremos cuenta de éstos y nos será más fácil encontrar fuerzas para superar la ansiedad. Si nos damos cuenta de que somos capaces de hacer bien muchísimas cosas (aunque ahora no seamos conscientes de ello, estoy segura de que esto es así), sabremos que somos capaces de vencer también nuestros miedos.

Por tanto, podemos pedir a nuestros allegados que lleven a cabo un registro, como el que presento a continuación.

Fecha	Conductas de _____ (tu nombre) que considero sus puntos fuertes	Cómo he reaccionado ante sus puntos fuertes

En este caso, la persona apuntaría la fecha y aquellas de nuestras conductas que haya considerado nuestros puntos fuertes y que suponen un pequeño avance hacia la recuperación. Es importante que sean varias al día, por ejemplo, un mínimo de cinco. Por supuesto, los puntos fuertes no tienen que ser nada extraordinario. Por el contrario, se trata de apuntar pequeños detalles del día a día. Igualmente, es crucial que la persona que nos está ayudando reaccione con entusiasmo ante estas conductas, haciéndonos ver claramente qué es lo que le ha gustado y por qué. Además, es importante que la información sea específica. Por ejemplo, nos vendría mucho mejor una frase como «Me ha parecido estupendo que hayas llamado por teléfono a tu dentista para pedir cita y hayas podido hablar con él y, finalmente, conseguir que te la diera» acompañada de un beso o un abrazo en vez de «Me ha gustado lo valiente que has sido». Veamos un ejemplo de registro hecho por Pablo cuando ayudó a Anabel a superar su ansiedad social.

Fecha	Conductas de Anabel que considero sus puntos fuertes	Cómo he reaccionado ante sus puntos fuertes
30 de junio de 2010	– Comprar tomate en la frutería de siempre. – Hablar por teléfono con su suegra durante 5 minutos. – Recoger a su niño de la guardería y saludar a las personas que están recogiendo a sus hijos/as. – Pasear a su perra durante 30 minutos por el vecindario. – Escribir un correo electrónico a su hermana.	– Le dije que estaba muy contento porque había bajado a la frutería y conseguido tomates y le di un beso. – Le comenté que me agradaba mucho que hablara con mi madre, que ha sido muy agradable con ella y que me ha encantado su tono de voz tan cariñoso. – Le mandé un sms diciendo que estaba muy orgulloso de que hubiera podido recoger al peque y además saludar a toda la gente que estaba ahí. Le di un abrazo. – Preparé la merienda sorpresa y le di las gracias por haber paseado a la perra. – Le di un beso y le dije que me encantaba la relación que tenía con su hermana y me parecía muy bien que intercambiaran e-mails.

Finalmente, podemos pedir a la persona que nos está ayudando que dediquemos unos 10 minutos al día para ver el registro y para que nos diga en voz alta qué es lo que le ha gustado de nuestra conducta.

Hasta ahora hemos hablado de personas cercanas, amigos o familiares, que pueden ayudarnos a superar la ansiedad. Sin embargo, hay muchas personas que, por circunstancias de la vida o por su problema, están solas y no encuentran a nadie para que les ayude. Aunque el apoyo social es importante, puedes empezar sin él. Al fin y al cabo, nosotros/as mismos/as somos nuestra mejor compañía, la persona que está siempre y no necesitamos el apoyo de los demás. Obviamente, es preferible tenerlo, pero no lo necesitamos y podemos conseguir la felicidad estando con nosotros/as mismos/as. De todas formas, si deseas tener personas cercanas a tu lado, sin duda podrás conseguirlo más adelante. Por tanto, nosotros/as mismos/as podemos llevar a cabo el mismo registro descrito anteriormente y apuntar las conductas que consideremos nuestros puntos fuertes y reaccionar ante éstas, dándonos pequeños regalos y permitiéndonos algunos caprichos, diciéndonos en voz alta lo que nos ha parecido bien. Igual que en el caso anterior, registramos cinco conductas al día que sean de nuestro agrado y reaccionamos ante éstas. Al final del día, las apuntamos en unos post-it y las ponemos en un lugar visible. Así, reforzaremos nuestros puntos fuertes y nos centraremos en los avances.

PROMUEVE LA ACTIVIDAD

Aunque en muchas ocasiones las personas con problemas de ansiedad se sienten desganadas, es muy importante que, a partir de ahora, adoptes una postura de actividad. Es cierto que la sociedad nos ha enseñado que cuando estamos mal no podemos hacer nada positivo y lo mejor es descansar, ordenar nuestros pensamientos y esperar hasta que «se nos pase». No obstante, la psicología nos demuestra que, cuando adoptamos una postura pasiva y de espera, nuestros problemas no hacen más que empeorar. Cuando nos falta la estimulación, el «jaleo» de la calle y la presencia de otras personas, es justo cuando empezamos a caer en picado. Por ello, es muy importante que empieces a vivir de forma activa. Incluso si en estos momentos no tienes ganas, te recomiendo que lo hagas.

Paco era un chico de 21 años que decía estar siempre aburrido. A pesar de tener medios económicos y muchas oportunidades, no le apetecía hacer nada y así se quedaba día tras día tumbado en el sofá, viendo la televisión. Cuando Paco vino a mi consulta, estaba triste, desganado y no le apetecía hacer absolutamente nada. Yo le proponía diferentes alternativas de actividades, pero él las rechazaba todas. Entonces fue cuando hicimos un pacto. La tarea de Paco consistía en llevar a cabo al menos cinco actividades al día, independientemente de las ganas. Al principio estuvo muy reacio a aceptarlo pero finalmente accedió, dado que era un chico muy luchador, a pesar de sus problemas, y quería terminar arreglándolos. Sin que le apeteciera nada, se apuntó a clases de salsa y salía todos los días a correr con su primo, entre otras cosas. Sorprendentemente, al cabo de unas semanas, encontró muchas ganas de acudir a las clases, para aprender nuevos pasos y encontrarse con un amigo que conoció ahí. También se aficionó a correr con su primo, dado que se lo pasaba muy bien con él.

Este corto relato nos demuestra cuál es la habitual relación entre las ganas y la actividad. En general, cuantas menos cosas hagamos, menos nos apetece hacerlas. Es así, también, porque no tenemos nada que nos motive o nos atraiga. En otras palabras, ¿cómo podía Paco tener ganas de apuntarse a clases de salsa en aquellos momentos, si no recordaba lo divertido que es aprender nuevos pasos y bailar? Una vez apuntado, tenía muy «frescas» esas sensaciones de diversión, al principio pequeñas y después más grandes y, con ellas, también aparecieron las ganas. Por todo ello, te apetezca o no, ¡muévete!

La actividad, en este caso, se refiere a hacer nuestras tareas cotidianas y también a buscar la novedad, tal como recomienda, entre otros, Knaus (2006). Te sugiero que pienses en algunas cosas que desde siempre has querido hacer y nunca has podido. Si las encuentras, estupendo y, si no, haz aunque sea una actividad nueva al día, por más sencilla que sea. Puedes, por ejemplo, pasear por lugares nuevos, escuchar nuevas canciones o aprender palabras nuevas en un idioma extranjero.

La novedad suele llamar nuestra atención y, además, despierta interés y promueve la sensación de bienestar.

Aunque hayamos hablado de las actividades en general, me gustaría subrayar una que suele ser de gran ayuda para todo el ser humano. Tal vez ya sabes a qué tipo de acción me refiero. Lo que a todos nos viene bien es hacer deporte. El ser humano no está hecho para permanecer inmóvil durante horas y, por eso, lo que solemos hacer la gran parte de las personas hoy en día no es en absoluto natural. La falta de movimiento nos afecta a todos los niveles, tanto a nuestro estado físico como a nuestra mente. El ejercicio físico, sin duda, te ayudará a sentirte mejor, aunque resulte difícil al principio. De todas formas, puedes empezar por un deporte fácil y que requiera poco esfuerzo e ir aumentándolo progresivamente. Si lo haces, será una magnífica preparación para el cambio y para darle un nuevo rumbo a tu vida.

Para animarte, te recomiendo tomar la decisión de llevar a cabo al menos 10 actividades que podrían ser interesantes, divertidas, novedosas o simplemente buenas para tu vida. Apúntalas a continuación y comprométete a realizarlas en un mes, tengas o no tengas ganas. Cuando lo hagas, haz una nueva lista para el mes siguiente y así sucesivamente.

Diez actividades que podrían ser interesantes, divertidas, novedosas o buenas para mi vida y que llevaré a cabo en un mes
1.
2.
3.
4.
5.
6.
7.
8.
9.
10.

CUÍDATE

Aunque a veces cueste, la preparación para el cambio también consiste en cuidarte. Aunque no seamos conscientes de ello, la ansiedad y los malos hábitos suelen formar un círculo vicioso en el que se alimentan el uno al otro. En éste, cuando tenemos ansiedad nos cuidamos poco: comemos mal, dormimos de forma desorganizada, nos olvidamos de nuestra higiene personal... A la vez, la mala nutrición, la falta de sueño y la mala higiene nos influyen y terminamos cansados, irritables y... con más ansiedad.

Come sano

Si crees que no sabes cómo comer sano, te recomiendo que consultes a un nutricionista o que adquieras un libro que explique los principios de una buena alimentación. En términos generales, se recomienda comer cinco veces al día y en su justa medida, es decir, sin quedarnos con hambre ni tampoco excedernos para sentirnos muy pesados. Comida fresca, sana, equilibrada y deliciosa nos ayuda a disminuir la ansiedad.

Duerme y descansa bien

A veces es fácil decirlo y mucho más difícil hacerlo. Si tienes problemas a la hora de dormir, te invito a leer el capítulo «Relajarse y dormir bien» dedicado en su totalidad a este problema y hacer los ejercicios incluidos en éste. Por ahora, lo que puedes hacer es levantarte todos los días por la mañana (si no te lo impiden tus turnos de trabajo) independientemente de que tengas motivos tales como trabajo u otras obligaciones para hacerlo. No hay peor forma de cambiar nuestro ritmo de sueño que quedándonos dormidos hasta las tantas y no levantarnos por las mañanas. Es entonces cuando cambia nuestro ritmo de sueño/vigilia y, si nos levantamos demasiado tarde, terminamos por no poder dormir por las noches. Por tanto, el primer paso que te propongo consiste en levantarte todas las mañanas a la misma hora y acostarte también todas las noches a la hora establecida. El resto de las pautas que podemos seguir para dormir bien las encontrarás en el capítulo dedicado a este tema.

Higiene personal

Aunque a veces no te apetezca, suele ayudar mucho mantener una buena higiene, duchándonos y arreglándonos todos los días y vistiendo ropa limpia con la que nos encontremos a gusto. Las personas con ansiedad, a veces, dejan de lado ese tipo de cuidados y eso contribuye a que se vean mal y terminen sintiéndose peor. Lógicamente, no estoy animando al lector a que siga algún canon de belleza o a que intente conseguir un cuerpo perfecto parecido al de los actores y actrices que vemos en las revistas, casi en su totalidad retocados mediante ordenadores. Por el contrario, lo mejor que podemos hacer es aceptarnos tal como somos, cuidando de nuestro cuerpo, manteniéndolo limpio y arreglándonos en su justa medida.

A lo largo de este capítulo, nos hemos ocupado de las acciones que podemos realizar para prepararnos para el cambio hacia una vida no dominada por la ansiedad. Lógicamente, algunos de ellos se adaptan mejor a tu problema y otros no tienen mucho sentido en tu caso. Por eso, te invito a reflexionar tranquilamente sobre las recomendaciones hechas en este capítulo que puedan ser de utilidad para ti. Apúntalas en el cuadro que se incluye a continuación y realízalas todos los días. Para ayudarte en esta tarea, cómprate una agenda y apunta todas las mañanas las actividades que llevarás a cabo ese día. Si encuentras dificultades a la hora de realizarlas, porque te da pereza o se te olvida, establece un premio (como, por ejemplo, ver tu serie favorita, leer una novela que te gusta, etc.) que te darás al final del día si y sólo si cumples con las mismas.

Recomendaciones hechas a lo largo de este capítulo que considero útiles para mí

5. EMPIEZA POR LOS PENSAMIENTOS

CÓMO SE RELACIONAN LOS HECHOS, LOS PENSAMIENTOS Y LAS EMOCIONES

Aunque muchos de nosotros no seamos conscientes de ello, gran parte de nuestras emociones dependen de nuestros pensamientos. Hay una relación clara entre lo que pensamos y lo que sentimos, de manera que los pensamientos negativos evocan emociones negativas. Las vivencias externas no influyen de forma directa en cómo nos sentimos. Primero necesitamos pensar algo sobre las mismas y será el pensamiento el que provocará la emoción.

El ser humano tiene la cualidad de estar continuamente pensando y comentando la realidad «dentro de su cabeza». Dicho de otra forma, tenemos la costumbre de estar comentando prácticamente todo lo que nos llama la atención. Nuestro estado de ánimo depende, en gran parte, de lo que nos decimos a nosotros mismos (Burns, 2002).

Irene era una mujer joven, de tan sólo 25 años de edad, y tenía mucho éxito a nivel profesional. Empezó a trabajar en una empresa internacional, en un puesto de comercial, pero pronto ascendió y adquirió cada vez más responsabilidades. Con éstas, llegaron nuevas obligaciones y, entre ellas, la necesidad de desplazarse a otras ciudades. Cuando conocí a Irene, estaba desesperada, dado que tenía un fuerte miedo a conducir. Aunque al principio no era consciente de ello, pronto descubrimos que cuando se disponía a conducir, estaba continuamente diciéndose a sí misma frases como «no vas a poder hacerlo porque eres muy torpe», «no vales para conducir, vas a tener un accidente», «eres muy lenta, no eres capaz de hacerlo», etc.

Afortunadamente, Irene era una mujer con mucha fuerza de voluntad y pronto entendió la relación entre estos pensamientos y el miedo que sentía a la hora de coger el coche. Igualmente, aprendió cómo comprobar si estos pensamientos son ciertos y en vez de aceptarlos como tal, cuestionarlos y verificar su veracidad. De esta manera, y después de unas cuantas sesiones en las que trabajamos estas frases negativas y catastrofistas que se decía a sí misma, conseguimos vencer la fobia. En realidad, Irene llevaba pocos años con el carnet de conducir y tenía poca práctica. No obstante, era una conductora bastante hábil y perfectamente capaz de coger el coche, eso sí, con el cuidado y la atención requeridos por sus circunstancias. No eran los hechos reales los que le provocaban el miedo, sino más bien los pensamientos y la interpretación de los mismos. Cambiando estos últimos, hemos vencido gran parte de su ansiedad. El resto, se solucionó con la práctica y con la aceptación de los problemas.

Para darte cuenta de esa relación entre hechos, pensamientos y emociones, te propongo que lleves a cabo un registro de los mismos, al menos durante una semana. Éste te ayudará a reconocer mejor cuáles son las frases que te sueles decir en los momentos de alta ansiedad. Para que tu mente aprenda a captar esa relación de forma automática, es muy importante que lo hagas prácticamente sobre la marcha, es decir, en el momento de la ansiedad y, si te resulta imposible, justo después de que ocurra. Para ello, puedes utilizar un folio con las tres columnas que incluyo a continuación.

HECHOS Y CIRCUNSTANCIAS	INTERPRETACIÓN DE LOS HECHOS Y PENSAMIENTOS	EMOCIÓN

Veamos un ejemplo:

HECHOS Y CIRCUNSTANCIAS	INTERPRETACIÓN DE LOS HECHOS Y PENSAMIENTOS	EMOCIÓN
Mi hija lleva 30 minutos de retraso y no me coge el teléfono.	Ha tenido un accidente, puede que la haya atropellado un coche o alguien la ha atracado por la calle. Seguro que ha elegido el camino oscuro que no debe coger nunca y le ha pasado algo. Ahora me llamará la policía para decirme que está muerta.	Fuerte ansiedad.

CONFRONTA TUS PENSAMIENTOS

Tal como he explicado en el apartado anterior, son los pensamientos los que determinan nuestras emociones. Uno de los problemas más frecuentes en las personas con ansiedad patológica consiste en tomarse los pensamientos demasiado en serio, como si fueran ciertos por el mero hecho de haber aparecido en nuestra cabeza. Sin embargo, muchos de ellos son automáticos y se repiten por haber vivido ciertas situaciones pasadas o haber asociado diferentes conceptos entre sí. Por tanto, el hecho de tener un pensamiento, no significa en absoluto que éste sea cierto.

Para comprobar cómo funciona la mera asociación entre conceptos, vamos a hacer un experimento. Te propongo que cojas tu teléfono móvil e imagines que es una barrita de chocolate. Haz un esfuerzo, míralo fijamente e imagina cómo le quitas ese papel que parece un móvil y sacas de dentro delicioso chocolate. Una vez consigas esa asociación vívida, deja de imaginarte el chocolate. Simplemente mira el teléfono y olvida todo lo que acabamos de decir. Aunque en cierto modo lo puedas conseguir, a la vez, tendrás dos pensamientos alternativos, uno que dice que es un móvil y otro, más automático, que dice que es chocolate. Si has realizado correctamente este ejercicio, habrás tenido la oportunidad de crear un pensamiento «tonto» que dice chocolate al ver un teléfono. No obstante, entiendo que no te lo has creído y no has procedido a morder el teléfono. Tienes un pensamiento y no te lo crees.

En el ejemplo descrito en el párrafo anterior, has tenido la oportunidad de aprender cómo aparecen algunos de los pensamientos automáticos. Cuando se trata de frases que te sueles decir a ti mismo/a en momentos de alta ansiedad, también hay que tener en cuenta que, muchas de ellas, simplemente son falsas y han sido aprendidas por mera asociación. Por tanto, ¡no te dejes engañar! Analiza bien cuáles son las frases automáticas y comprueba si son ciertas y, en primer lugar, duda de esos pensamientos y no des por hecho su veracidad.

Tal como expliqué en mi libro *SOS... Cómo recuperar el control de tu vida* (Zych, 2010), podemos comprobar si un pensamiento es cierto. Cuando tenemos ansiedad patológica, es realmente improbable que ésta aparezca como consecuencia de pensamientos racionales y verdaderos. A continuación se resumen los pasos a seguir para analizar tus pensamientos.

Paso 1: Especifica cuáles son tus pensamientos.

En primer lugar, vamos a especificar cuáles son tus pensamientos que aparecen en los momentos de alta ansiedad. Aunque en estos momentos sean difíciles de recordar, utiliza el registro incluido en el primer apartado del presente capítulo y del capítulo en el que realizaste la evaluación de tu ansiedad. A la vez, intenta imaginar, con todas tus fuerzas, que la situación que temes está ocurriendo ahora mismo y capta cuáles son los pensamientos que provocan tu miedo patológico. Si crees que, en tu caso, éste es automático y no aparece como resultado de los pensamientos, ¡no te lo creas! Con un poco de esfuerzo, finalmente, podrás localizarlos.

Algunos ejemplos de pensamientos relacionados con ansiedad patológica son:

— Me van a rechazar y eso me convertirá en una persona horrible.

— Si me monto en un avión, éste se caerá porque es peligroso e, incluso si no lo es, yo tengo muy mala suerte y a mí me pasará. Además, es horrible tener que montarme y pasar miedo.

— Si no compruebo todos los enchufes de la casa, habrá un incendio y toda mi familia morirá por mi culpa.

— Tengo que llamar a mi pareja para asegurarme de que no ha tenido un accidente y, si no me coge el teléfono (porque siempre tiene que hacerlo), quiere decir que está muerta.

— Si siento taquicardia, eso significa que me va a dar un infarto porque no tengo que tenerla.

— Si tengo un nudo en la garganta, que no debería tener, es que tengo cáncer que me llevará a sufrir mucho y finalmente me moriré y eso no debería ser así.

— Las cucarachas son asquerosas y no deben entrar en mi casa. Además, no puedo soportarlas y, si entraran, eso sería horrible.

— Si me pongo roja, todo el mundo se dará cuenta y pensarán que soy tonta, se darán cuenta de mis debilidades y me rechazarán. Esto sería horrible y nunca debería pasar.

— No debo cometer errores y, si lo hiciera, esto sería horroroso e insoportable.

— Me han violado y eso no tenía que haber pasado pero, como ya pasó, nunca podré volver a hacer una vida normal.

Es posible que algunos de tus pensamientos se parezcan a los que he incluido como ejemplos o, tal vez, sean diferentes de éstos. Te invito a que hagas un esfuerzo importante para localizarlos porque se trata de una parte central de este programa de autoayuda. Apúntalos en la tabla que presento a continuación.

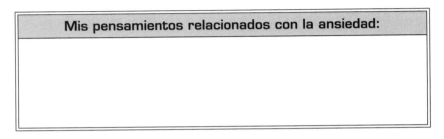

Mis pensamientos relacionados con la ansiedad:

Paso 2: ¿Son racionales mis pensamientos?

En este paso, vamos a utilizar algunas preguntas basadas en la Terapia Racional Emotiva Conductual de Albert Ellis (2007), uno de los padres de las terapias cognitivo-conductuales que ha demostrado excelentes resultados en el tratamiento de los trastornos de ansiedad. La importancia de los pensamientos está ampliamente demostrada y los psicólogos insisten una y otra vez en ésta (Álava Reyes, 2003; McKay y Fanning, 2000).

Para que te resulte más fácil cuestionar tus propios pensamientos, he incluido las respuestas al pensamiento:

«Me van a rechazar y eso me convertirá en una persona horrible».

— ¿Es cierta mi creencia? ¿Cómo puedo demostrarlo?

No es cierta porque habla de un rechazo futuro y yo no puedo conocerlo, es como si lo estuviera viendo en una bola de cristal y yo no tengo capacidad para hacerlo. No puedo demostrar si realmente me van a rechazar ni tampoco si eso, de verdad, me convertiría en una persona horrible. Es más, conozco a muchas personas que han sido rechazadas (a lo mejor todo el mundo alguna vez) y eso no les ha convertido en personas horribles.

— ¿Qué es lo peor que podría pasarme si el pensamiento fuese cierto?

Si fuera cierto, me rechazarían y eso no me gustaría, me pondría triste porque a nadie le gusta que lo rechacen. Aparte del disgusto, no pasaría nada, sobre todo porque me quedaría como estoy porque la persona que me podría rechazar, ahora mismo, no es mi pareja, ni tampoco mi amigo/a. Además, si alguien me rechaza por cómo soy, a mí tampoco me interesa tener una relación con esa persona.

— ¿Es útil mantener mi pensamiento o mi vida mejoraría si lo cambiase? ¿Qué es lo mejor y lo peor que podría pasarme si cambiara de pensamiento?

No es útil porque tengo miedo a que me rechacen y sólo sufro sin sentido y no suelo conocer gente nueva, lo cual hace que no me pase, pero el resultado es prácticamente como si me rechazasen sin haberlo intentado. Lo peor que podría pasarme si cambiara el pensamiento es que me rechazaran de verdad, pero eso, en realidad, no me convertiría en una persona horrible. Si lo cambiase, intentaría establecer relaciones nuevas y, lo peor que podría pasar sería no conseguirlo. Lo mejor que me podría pasar es que por fin consiguiera tener muchos amigos y, quizás, incluso pareja.

Ahora te invito a que respondas a las mismas preguntas en relación con tu pensamiento.

— ¿Es cierta mi creencia? ¿Cómo puedo demostrarlo?

_____

_____

_____

— ¿Qué es lo peor que podría pasarme si el pensamiento fuese cierto?

_____

_____

_____

— ¿Es útil mantener mi pensamiento, o mi vida mejoraría si lo cambiase? ¿Qué es lo mejor y lo peor que podría pasarme si cambiara de pensamiento?

_____

_____

_____

Paso 3: Busca evidencias que confirmen y que desmientan el pensamiento.

Una de las técnicas estrellas de la psicología cognitivo-conductual consiste en buscar las evidencias a favor y en contra de un pensamiento. Como ya hemos visto, mi pensamiento no es la realidad y, para comprobar si está cerca o lejos de la misma, puedo buscar evidencias específicas a favor y en contra de éste.

Se trata de una forma de comprobar si mi pensamiento es cierto, que describo de manera más exhaustiva en mi otro libro, cuyo título es SOS... *Cómo recuperar el control de tu vida*. Una de mis pacientes, que estudió derecho, me comentó que ese análisis se parecía mucho a un juicio y a mí me gustó su idea y, por eso, la describiré a continuación. Imaginemos que nuestro pensamiento es la sospecha o la hipótesis de trabajo en un juicio, algo como, por ejemplo, «Fulanito ha robado una bici» o «Pablito ha atracado un banco». En nuestro caso, el pensamiento podría ser, por ejemplo, «Tengo una enfermedad grave, aunque todavía no se ha detectado y pronto me moriré» o «No puedo soportar tener pensamientos sobre el sexo con las personas que se cruzan conmigo por la calle», etc. Sea cual fuese tu pensamiento, igual que en el caso de un juicio, merece la pena contratar a «un abogado» y a «un fiscal», para que puedas emitir un veredicto final. Sabemos perfectamente que no es suficiente decir que «Pablito ha atracado un banco» para declararlo culpable y para que vaya a la cárcel. Por el contrario, hacen falta evidencias y coartadas para que se pueda juzgar la veracidad de la idea. A su vez, sólo se puede hablar de hechos reales y no de sensaciones, presentimientos o impresiones. Eso mismo se puede hacer con nuestro pensamiento, buscando hechos reales que lo apoyen o que lo desmientan y apuntarlos en dos columnas. Finalmente, consideramos todas las «pruebas» y emitimos un «veredicto».

Siguiendo nuestro ejemplo de pensamiento, «Me van a rechazar y eso me convertirá en una persona horrible», las posibles evidencias que lo desmientan o confirmen serían las siguientes:

EVIDENCIAS QUE CONFIRMAN MI PENSAMIENTO	EVIDENCIAS QUE DESMIENTEN MI PENSAMIENTO
– Me gustó una chica (Anita) y le propuse salir conmigo pero ella me dijo que no le gustaba. – Tuve pocos amigos en el colegio. – Mi amigo Paco dejó de llamarme.	– Cuando Anita me rechazó me sentí muy mal pero desde entonces no hice nada realmente horrible (por tanto, no me convertí en una persona horrible). – María sí quiso salir conmigo. – Tengo al menos dos buenos amigos. – Mi familia me quiere y no me rechaza. – He visto a muchas personas que han sido rechazadas y no se han convertido en gente horrible. – Un compañero de mi trabajo es una persona muy solitaria y creo que no tiene amigos. Aun así, para nada es horrible, al revés, es un chico muy agradable y buena persona.

Te recomiendo que prepares unas cuantas tablas como ésta y busques evidencias de los pensamientos que detectes en los momentos de ansiedad.

EVIDENCIAS QUE CONFIRMAN MI PENSAMIENTO	EVIDENCIAS QUE DESMIENTEN MI PENSAMIENTO

Paso 4: Utiliza la estadística, pero la ESTADÍSTICA de verdad.

Suelo preguntar a mis pacientes cuál es la probabilidad de que lo que temen sea cierto y la mayoría de ellos la estima muy por encima de la realidad. ¿Cuál crees que es la probabilidad (de 0 a 100) de que te ocurra lo que temes? Apúntala aquí: _____

— Piensa en todas las personas que conoces. Apunta un número aproximado: _____. ¿A cuántas de ellas les ha pasado lo que temes? Apunta el número: _____ y el porcentaje: _____.
— Piensa en todas las personas que has visto en tu vida. Apunta un número aproximado: _____. Nuevamente, ¿a cuántas de ellas les ha pasado lo que temes? Apunta el número: _____ y el porcentaje: _____.
— ¿Qué edad tienes? Calcula, por favor, el número de días que llevas en este mundo: _____. ¿Cuántos días de los que llevas viviendo ha pasado lo que temes? Apunta el número: _____ y el porcentaje: _____.

Habiendo analizado estos porcentajes, ¿cuál crees que es esa probabilidad? Apúntala: _____.

Paso 5: Busca errores típicos de pensamiento.

En este paso, vamos a centrarnos en algunos errores típicos de pensamiento que tienen que ver con la ansiedad. Vamos a agruparlos en los siguientes bloques:

— Exigirse perfección.
Hay algunas creencias que exigen perfección, aunque ésta sea imposible de conseguir. Normalmente, tienen que ver con miedo al fracaso y suelen decir algo como «nunca debo cometer errores», «si fallo, soy una persona que no vale ni un duro», «nunca debo tener pensamientos erróneos», «no tenía que haberme equivocado», etc.

— Exigirse ser dios/a.
Algunos pensamientos podrían ser adecuados para dioses pero no se pueden aplicar a los seres humanos. Esto es así porque sólo un dios podría no equivocarse nunca, tener todo bajo su control y hacer siempre las cosas bien. Este error aparece, por ejemplo, en los pensamientos que dicen «Debo caer bien a todo el mundo», «No entiendo por qué me ha podido pasar eso», «No puedo permitir que ocurra una catástrofe», etc.

— Poderes sobrehumanos.
Ciertas creencias podrían ser verdaderas solamente en casos de tener algunos poderes sobrehumanos, tales como leer la mente de los demás o poder averiguar el futuro como si de una bola de cristal se tratase. Algunos de esos pensamientos son: «Cuando termine el verano, buscaré un trabajo mejor pero no seré capaz de encontrarlo», «La gente va a pensar mal de mí», «Tengo que anticiparme a todas las desgracias futuras», etc.

Por ello, te recomiendo que te preguntes si tus creencias contienen alguno de esos tres grupos de errores y, si es así, busca qué razones hay para decir que no tienen sentido, siguiendo el ejemplo que incluyo a continuación.

PENSAMIENTO	¿QUÉ ERRORES CONTIENE Y POR QUÉ NO TIENE SENTIDO?
Tengo que llamar a mi pareja para asegurarme de que no ha tenido un accidente y, si no me coge el teléfono (porque siempre tiene que hacerlo), quiere decir que está muerta.	En este caso, estoy exigiendo perfección a mi pareja porque quiero que SIEMPRE me coja el teléfono y eso no tiene sentido porque mi pareja no es perfecta. Además, me exijo a mi misma ser diosa porque parece que, con mis llamadas, puedo y debo evitar la muerte de mi pareja y que soy tan poderosa que sólo llamándola la mantengo con vida. Eso es absurdo porque ella vive independientemente de mis llamadas. Espero que nunca tenga un accidente pero, si lo tuviera, de nada me serviría llamarla. Adicionalmente, parece que tengo poderes sobrehumanos porque mi pensamiento es como si echara las cartas o mirara una bola de cristal en la que veo que si no me coge el móvil, es que ha tenido un accidente. Estoy viendo un futuro sin sentido.

Ahora, te propongo que hagas el mismo análisis con tus pensamientos.

PENSAMIENTO	¿QUÉ ERRORES CONTIENE Y POR QUÉ NO TIENE SENTIDO?

— Obligaciones y necesidades imaginarias.

Albert Ellis, en su enfoque de TREC insiste en que las personas suelen confundir sus preferencias con necesidades y deberes. El hecho de que uno prefiera que el mundo sea de una determinada manera es legítimo y racional. Sin embargo, ¿tiene sentido insistir en que el mundo funcione a mi antojo? La respuesta es NO. Por más que uno quiera que la gente y el mundo se comporten según sus gustos, no tiene ningún sentido exigir que eso sea así. Algunos ejemplos de obligaciones imaginarias y sus respuesta racionales son:

OBLIGACIÓN IMAGINARIA: La gente nunca debería pensar mal de mí. No es justo que me rechacen y no deben hacerlo.

RESPUESTA RACIONAL: No me gusta que la gente me rechace, pero ellos se comportan según su propio criterio y tienen derecho de aceptarme a veces y a rechazarme cuando quieran. Aceptarme no es ningún deber.

OBLIGACIÓN IMAGINARIA: Tengo que lavarme las manos con muchísima frecuencia porque, si no lo hago, sentiré mucha ansiedad y necesito hacerlo.

RESPUESTA RACIONAL: Prefiero lavarme las manos con mucha frecuencia pero, si no lo hago, podré soportarlo, dado que no es una necesidad, no me moriré por no hacerlo y es algo que depende de mí. Puede que sienta molestia al no hacerlo pero podré aguantarlo.

Para distinguir mejor una necesidad de una preferencia, te invito a responder a una pregunta fundamental: ¿existen circunstancias en las que podrías decidir dejar de hacerlo? Si la respuesta es afirmativa, entonces hablamos de una preferencia que depende de mi elección.

Marina decía necesitar tener la casa perfectamente ordenada y no poder dejar de hacerlo, dado que decía sentir una ansiedad verdaderamente insoportable. Después de varias sesiones, conseguimos que se diera cuenta de que, en realidad, se trataba de algo que ella elegía hacer y no lo necesitaba en absoluto. Una metáfora que le ayudó a darse cuenta fue imaginarse que un criminal estuviera apuntando con una pistola a su hija pequeña y le dijera que o bien deja la casa totalmente desordenada, o bien mata a la niña. Ahí Marina no tenía dudas, elegiría tener la casa desordenada antes de que mataran a su niña. Sin embargo, ¿qué haría si el criminal le dijera «o bien dejas de respirar (pero sin ninguna ayuda externa) o disparo»? ¿Podría elegir dejar de respirar? La respuesta es no, dado que, en este caso, se trata de una verdadera necesidad y no podemos dejar de hacerlo. Todo lo que sí podemos elegir, es opcional.

Igualmente, con frecuencia me encuentro con que mis pacientes se ven como «el centro negativo del universo». Esto significa que, cuando los demás hacen cosas que a nosotros nos disgustan, nos creemos los dueños de las vidas de los demás, tan importantes que somos los únicos factores que controlan sus vidas. Por ello, podemos pensar que «si no hace esto por mí, entonces yo no soy importante para él», «si no me habla es porque yo soy antipática», o «si le pasa algo malo es porque yo no he podido prevenirlo». Nos creemos «el centro negativo del universo» porque se nos olvida que la gente hace las cosas y éstas ocurren por diferentes motivos y, en realidad, raramente es por mí. Yo no soy la causa principal de que los acontecimientos tengan lugar en el mundo ni tampoco de la conducta de los demás.

Probablemente, muchos de los lectores pensarán que estoy centrándome en pequeños detalles y, simplemente, en «formas de hablar». Sabemos muy bien que, en muchas ocasiones, cuando pensamos «tengo que», «necesito», o «debería», en realidad, queremos decir «me apetece», «preferiría» o «me gustaría». Aunque parezcan simplemente maneras de hablar, ¡nada más lejos de la realidad! Nuestros pensamientos determinan nuestras emociones y sentiremos mucho miedo y ansiedad si éstos no son racionales. Si nos esforzamos en cambiar esas expresiones de obligaciones imaginarias por otras, mucho más racionales y que tienen que ver con nuestras preferencias, sólo ese pequeño paso nos ayudará notablemente a cambiar nuestro gran malestar por una simple molestia. Por ello, te invito a que hagas un listado de tus necesidades imaginarias y que las cambies por preferencias. Veamos un ejemplo:

NECESIDAD IMAGINARIA	PREFERENCIA
– Tengo que hacer bien mi trabajo. – Necesito que me presten atención. – La gente tiene que respetarme. – Tienen que darme la razón si la tengo.	– Me gustaría hacer bien mi trabajo. – Sería estupendo que me prestaran atención. – Me gustaría que la gente me respetara. – Prefiero que me den la razón cuando la tengo.

Ahora te invito a que hagas tu propio listado.

NECESIDAD IMAGINARIA	PREFERENCIA

Paso 6: Plantea un pensamiento mejor, más realista y racional.

Si ya te has dado cuenta de que el pensamiento que te provoca ansiedad no es real, te propongo plantear otro pensamiento mejor que se acerque mucho más a la realidad. Veamos algunos ejemplos:

— La probabilidad de que mi hijo muera atropellado es prácticamente nula aunque, ciertamente, es algo que podría pasar. No obstante, no tiene ningún sentido preocuparme por ello porque no tengo ningún control sobre ello, no soy dios y no puedo hacer nada para eliminar esa pequeña posibilidad.

— No tiene ningún sentido preocuparme por la posibilidad de que la gente me rechace. Es poco probable y, si me pasa, tan sólo será desagradable (y no horrible). Aunque hoy me rechacen, no va a haber consecuencias y no pasará nada más.

— Si me pongo rojo hablando en público, aunque sea rojo como un tomate, no pasará nada. Quizás alguien me dirá: «que rojo estás» y yo me sentiré incómodo, pero no ocurrirá nada más.

— La probabilidad de morir de un infarto es pequeñísima y, además, haga lo que haga, no puedo eliminarla. Si me preocupo, sólo me siento peor y, si tengo taquicardia, es casi seguro que me pasa porque tengo ansiedad y la ansiedad no es peligrosa.

¿Cuál es tu pensamiento más realista? Apúntalo en la tabla.

Mi pensamiento realista

Paso 7: Peléate con los pensamientos irracionales.

Es muy importante que nos peleemos con los pensamientos irracionales, que nos esforcemos y que lo hagamos con entusiasmo. La mejor forma de cambiar nuestros pensamientos consiste en repetir los que son racionales, una y otra vez, incluso en voz alta y con emoción, para también empezar a sentir que son verdaderos.

Para cambiar nuestros pensamientos, hace falta tiempo y mucha práctica. Por ello, te recomiendo que apuntes tus pensamientos irracionales cada vez que experimentes ansiedad y que los discutas con fuerza y entusiasmo. Para ello, puedes preparar tarjetas con un formato de tabla estándar, como el que incluyo a continuación. Haz todas las copias que consideres oportunas.

Veamos un ejemplo rellenado por Amador:

Fecha y hora:	Acontecimiento y pensamientos irracionales	Discusión del pensamiento irracional
20/07/2010	Si hablo con una chica desconocida ésta me rechazará y esto será tan horroroso que no podré soportarlo. Si me ocurre ese horror (lo cual es casi seguro), esto significa que soy un desgraciado que no merece nada bueno.	– No tengo ninguna base sólida para decir que ella me rechazará. – Es absurdo predecir ese rechazo porque no sé qué es lo que va a pasar. – Es totalmente falso que sería horrible que me rechazara. Sería desagradable pero para nada horrible. – ¡Claro que podría soportarlo! En realidad podría ser muy feliz y vivir estupendamente a pesar de ser rechazado por una chica desconocida. – Y aunque pase lo peor de lo peor, aunque de verdad me rechazase y eso fuese horrible (aunque ya sé que tan sólo sería desagradable), esto nunca, bajo ningún concepto, me convertiría en un desgraciado. Para serlo, tendría que cometer muchos crímenes, quizás asesinar a muchas personas o algo así. – ¡Cómo que no merezco nada bueno! Esto es una burrada, de verdad. Merezco cosas buenas igual que cualquier otro ser humano, aunque me rechazasen mil chicas desconocidas.

Ahora te propongo rellenar tu propia tabla. Ten en cuenta que los pensamientos irracionales suelen tener tres componentes, tal como hemos visto en el caso de Amador:

1. Predecir algo sin una base sólida.
2. Exagerar muchísimo su impacto: decir que es horrible, tremendo e insoportable.
3. Tomárselo personalmente y concluir que si esto me pasa, es que yo soy horrible.

Por ello, cuando discutas tus ideas, te propongo atacar los tres componentes, tal como lo hizo Amador.

Fecha y hora:	Acontecimiento y pensamientos irracionales	Discusión del pensamiento irracional

Te recomiendo que leas la discusión de los pensamientos irracionales todos los días en alto y con la voz ligeramente levantada, firme. Se trata de poner empeño en la racionalización de los mismos y hacerlo con emoción. Dedica al menos media hora al día a ese ejercicio y encontrarás que los resultados serán sorprendentes.

6. ANSIEDAD AL CUADRADO

5. ANSIEDAD AL CUADRADO

Algunas veces, nuestros pensamientos relacionados con la ansiedad se disparan hasta tal punto que llegamos a sentir lo que a mí me gusta denominar como «ansiedad al cuadrado». En estos casos, solemos interpretar las situaciones de tal forma que nuestros pensamientos nos provocan miedo. Una vez generado, podemos llegar a interpretar también esa emoción diciéndonos, por ejemplo, que si ahora tenemos miedo, entonces nunca podremos llevar una vida normal, o que esto es una señal de «locura». A su vez, esos pensamientos provocarían una nueva emoción y finalmente hablaríamos de «ansiedad al cuadrado».

Ainoa tenía mucho miedo a la muerte y estaba convencida de que pronto iba a morirse de un infarto o una enfermedad parecida. Recuerdo que un día me contó cómo generó pensamientos que la llevaron a sentirlo «al cuadrado». Iba andando por la calle y vio un coche de ambulancia parándose en la acera, justo delante de ella. En ese momento, se acordó de su problema y pensó que pronto iban a tener que llevarla a ella también a un hospital y esa creencia le provocó ansiedad. No obstante, Ainoa no se quedó ahí, más bien siguió con su interpretación pensando, en este caso, que nunca debía de tener ansiedad en una situación tan tonta y que era una cobarde por pensar de esa manera. Ese pensamiento provocó que ahora se sintiera ansiosa y también muy culpable por el hecho de estarlo. Cuando se dio cuenta de lo que sentía, pensó entonces que era una imbécil, incapaz de controlar su propia vida y que iba a sufrir siempre porque era incapaz de cambiar. Nuevamente, sintió una ola de fuerte miedo relacionado esta vez con su futuro pensamiento.

Tal como hemos visto en el ejemplo de Ainoa, el ser humano tiene la gran tendencia de «recrearse» en sus emociones negativas e interpretarlas una y otra vez para finalmente sentirse peor todavía. No obstante, también tenemos la gran capacidad de aprendizaje y podemos terminar con todas esas interpretaciones irracionales. Dado que nosotros somos dueños de nuestros pensamientos, con esfuerzo y trabajo, podemos cambiarlos para que sean mucho más lógicos.

ACEPTACIÓN DE UNO MISMO TAL COMO ES

Albert Ellis (Ellis y Harper, 2003), el padre de la Terapia Racional Emotiva Conductual, propone que la persona se acepte de manera incondicional a sí misma, a los demás y también a la vida. Sin duda, esa aceptación nos ayuda notablemente a superar la ansiedad. Las emociones negativas al cuadrado aparecen cuando las personas no nos aceptamos tal como somos y exigimos ser y pensar de otra forma. Aunque se trate de una tendencia muy común en nuestra sociedad, es importante darse cuenta de que carece completamente de lógica. Es evidente que cada uno tiene sus propias ideas acerca de cómo le gustaría ser. No obstante, no tiene ningún sentido exigir que nos comportemos siempre de acuerdo con nuestras ideas, que habitualmente contienen la perfección. Cada uno es como es y esa es la realidad. Por supuesto que podemos cambiar y mejorar, pero recordemos que el mundo no puede ser como a mí me gustaría que fuese, no puede comportarse a mi antojo. Por tanto, siendo uno parte de este mundo, tampoco puede ser precisamente como se le antoje. Puede desear, querer y luchar por ser de una manera determinada, pero aun así, no tiene sentido exigirlo ni tampoco no admitir errores o excepciones.

Por ello, si uno tiene pensamientos que después le generan ansiedad, es que los tiene porque es así y lo mejor que puede hacer es aceptar la realidad. Dado que se trata de un aprendizaje, el proceso es muy parecido al que se da en otras circunstancias, por ejemplo, a la hora de jugar al tenis. Si quiero aprenderlo, lo mejor que puedo hacer es aceptar que no sé jugar. No tiene sentido autoflagelarnos con frases como «Debo saber jugar al tenis ya porque quiero jugar bien» o «Tengo que saberlo directamente porque se me ha antojado apuntarme a un campeonato». Lo que sí sería lógico pensar es «Si quiero aprender, aunque no sepa jugar, lo mejor que puedo hacer es practicar y tener paciencia, aceptando que no sé hacerlo». Y una vez aprendido, ¿tiene sentido pensar que no debo fallar ni una sola pelota y castigarme severamente por cualquier error? Incluso Rafa Nadal falla muchas pelotas, siendo uno de los mejores jugadores en la historia de ese deporte. Igualmente, hasta los psicólogos que llevamos años estudiando, investigando, trabajando con los pensamientos y emociones y enseñando a los demás, a veces, tenemos miedo absurdo y pensamientos estúpidos. Por tanto, si Nadal falla muchas pelotas y los psicólogos también tenemos emociones irracionales, ¿realmente crees que debes castigarte cuando te ocurra a ti? Un buen objetivo consiste en perfeccionar nuestras habilidades pero no pretender ser perfectos. Igual que en el tenis, tiene sentido intentar fallar cada vez menos pelotas o el menor número posible de éstas, pero no exigirse no fallar ninguna. Eso mismo ocurre con los pensamientos. Podemos aprender cómo tener menos miedos absurdos y que nos pase el menor número de veces posible, pero si ya se da el caso, entonces lo mejor que podemos hacer es seguir perfeccionando nuestras habilidades, aceptando que esta vez ha sido mala suerte y no ha podido ser.

En la siguiente tabla, te presento algunos pensamientos típicos que he encontrado junto con mis pacientes, que nos solemos decir a nosotros mismos para sentir la ansiedad al cuadrado. Al lado de éstos, se han incluido pensamientos lógicos.

PENSAMIENTO QUE GENERA ANSIEDAD AL CUADRADO	PENSAMIENTO LÓGICO
Nunca debo tener pensamientos estúpidos ni tampoco debo tener miedo. No debo fallar.	Justo lo contrario, ser humano conlleva tener pensamientos estúpidos y también sentir miedo. Además, tienes que fallar. Incluso los mejores lo hacen.
¿Cómo me ha podido pasar algo tan absurdo? No debo comportarme de manera irracional.	Claro que debes comportarte de manera irracional porque, por más que lo intentes, ningún ser humano es capaz de ser completamente racional. Puedes intentar comportarte lo más racionalmente posible pero siempre va a haber excepciones.
No debo tener ansiedad, si la tengo, es señal de cobardía y debilidad.	La ansiedad es una emoción normal y, si la tengo, es que he percibido una amenaza que puede ser real o puede ser fruto de mi imaginación o pensamiento erróneo. Si es así, es señal de que me he equivocado y he fallado y, como cualquier persona, debo cometer errores, aunque éstos no me gusten.
No aguanto tener ese miedo, no lo puedo soportar y nunca podré tener una vida normal por culpa de la ansiedad.	Si ahora quisiera ahogarme, sin utilizar ninguna ayuda externa, no podría aguantar la respiración y acabaría cogiendo aire aun sin quererlo. Sin embargo, la ansiedad no es la respiración y puedo aguantarla perfectamente, aunque sea molesta y no me guste. Igual que aguanto el frío en invierno o el calor en verano, no me gusta pero lo soporto y puedo vivir con ello. Por supuesto que puedo tener una vida normal aun teniendo ansiedad aunque, si no la tuviera, sería bastante más agradable.

Ahora, te invito a que reflexiones sobre tus propias creencias que te llevan a sentir ansiedad al cuadrado y que estén relacionadas con no aceptarte tal como eres o no aceptar la ansiedad. Igualmente, te propongo que las apuntes y que respondas con un pensamiento lógico.

PENSAMIENTO QUE GENERA ANSIEDAD AL CUADRADO	PENSAMIENTO LÓGICO

AUNQUE EN LA FRUTERÍA CADA PRODUCTO TIENE SU ETIQUETA, ¡NO SOMOS TOMATES NI TAMPOCO ZANAHORIAS!

En nuestra sociedad, tendemos a ponernos etiquetas a nosotros mismos y también a los demás, como si de verduras se tratase. No obstante, nos olvidamos de que, en la mayoría de las ocasiones, hablamos de algún error que hemos cometido, un pensamiento o una emoción que hemos tenido. Por más errores que tengamos, nosotros no somos nuestros errores ni tampoco somos nuestro pensamiento o nuestra emoción. Somos mucho más que eso y, sobre todo, somos personas. Hace unos días estaba bromeando con una pareja que tengo en consulta, hablando de la diferencia entre ser genial y tener mal genio. Ella le decía a él que tiene muy mal genio y él le respondía, bromeando, que eso no era así, que confundía los conceptos y, quizás, quería decir que él era genial. En el fondo, los dos tenían razón y a la vez, ninguno la tenía, dado que él es persona y a veces hace cosas geniales y otras

95

veces cosas con mal genio. Por tanto, es crucial distinguir entre la persona y sus actos. Es un regla de oro, y no sólo para sentirnos mejor con nosotros mismos, sino también para comunicarnos mejor con los demás. Es así porque si uno le dice a un amigo que es, por ejemplo, un egoísta, provocará mucho rechazo y además estará equivocado, dado que, sin duda alguna, se pueden encontrar muchos ejemplos de conductas de ese mismo amigo que no han sido nada «egoístas». Por ello, nos ayuda notablemente hablar de lo que uno hace y no de lo que uno es. Esas etiquetas hacen que sintamos ansiedad al cuadrado porque suelen ser negativas y, aparte de sentir ansiedad en el momento, generalizamos el problema y llegamos hasta «la parte central de nuestro ser», dañando a su vez nuestra autoestima. De manera muy equivocada, nos «machacamos» diciéndonos que somos de una manera determinada y, de esa forma, no sólo sufrimos por lo que pensamos de lo que hemos hecho mal, sino encima también por cómo supuestamente somos, aun sin serlo.

Algunos ejemplos de etiquetas y sus respuestas lógicas se encuentran en la siguiente tabla.

ETIQUETA	RESPUESTA LÓGICA
Soy tonto.	Estoy teniendo un pensamiento tonto. He hecho una tontería.
Soy cobarde.	He salido corriendo sin sentido. Esta vez no lo he hecho bien.
Soy un desgraciado.	No me gusta nada lo que he hecho.

También te propongo apuntar algunas etiquetas de las que te has puesto a ti mismo/a y responder, por otro lado, de manera lógica.

ETIQUETA	RESPUESTA LÓGICA

Curioso caso de Julio Iglesias

Imagino que muchos de los lectores ya conocerán la historia de Julio Iglesias, aunque también habrá otros que nunca la hayan escuchado. Para estos últimos, comentaré de forma concisa qué es lo que le ocurrió a uno de los cantantes de más éxito en la historia de España. Julio Iglesias era jugador de fútbol, en concreto, guardameta, una joven promesa en el equipo de Real Madrid. Parecía que iba a ser muy bueno y llegar muy lejos. No obstante, las adversidades de la vida impidieron su éxito en el deporte. Julio Iglesias tuvo un accidente de coche en el que sufrió lesiones que le obligaron a dejar de jugar. Así, atado a una cama, se aburrió y empezó a tocar la guitarra y a componer canciones. Sorprendentemente, le fue muy bien y terminó siendo famoso y con un enorme éxito.

Esta historia, y muchas otras, nos hacen ver que no podemos controlar lo que nos pasa pero sí qué hacemos con ello. Aunque a veces tengamos dificultades, nosotros mismos podemos convertirlas en grandes oportunidades.

Lo mismo se puede decir de cualquier problema psicológico y también de la ansiedad. Te invito a que cojas un folio y hagas un listado de oportunidades que te puede brindar la dificultad por la que estás leyendo este libro y/o cualquier otra que hasta ahora has interpretado como algo totalmente negativo.

¿Conoces algún caso parecido al de Julio Iglesias, en el que una desgracia se convirtió en una oportunidad? Si es así y si te apetece, te propongo que me la cuentes por correo electrónico. Yo me comprometo a recoger esas historias y colgar las mejores en la página web del libro. ¡Cuantas más juntemos, más claro tendremos que una desgracia se puede aprovechar para que sea una gran oportunidad!

7. CÓMO PUEDO HABLARME

¿Cómo le hablarías a un/a niño/a si quisieras que dibujara algo y él/ella no supiera cómo hacerlo? Te invito a reflexionar sobre la respuesta durante unos minutos antes de seguir leyendo.

Aunque cada uno lo haría a su manera, imagino que la gran mayoría de las personas hablaría al /la niño/a dándole instrucciones sobre cómo hacerlo y animándole, si dijera que parece difícil o que no se puede hacer. A un adulto le hablaríamos de diferente manera, aunque también probablemente seguiríamos los mismos principios. Por tanto, ¿lo harías así para instruir a cualquier persona? En la gran mayoría de los casos, la respuesta es sí, menos con uno/a mismo/a. Sorprendentemente, cuando nos hablamos a nosotros mismos no solemos mostrar el mismo respeto y ganas de animar, ni tampoco somos comprensivos. Muchas veces nos hablamos con desprecio, insultándonos incluso por haber cometido pequeños errores y desanimándonos mucho. Y nos hablamos constantemente… Pero en vez de decirnos, «claro que puedes hacerlo, ya verás que no será para tanto», las personas con ansiedad se dicen «no eres capaz, eres tonto/a y ya verás como todo irá mal».

Nosotros somos la única persona que siempre está con nosotros, se acuesta con nosotros todas las noches y se levanta todas las mañanas. Somos la persona que siempre nos acompaña y con la que compartimos literalmente todo. Y sí, aunque a veces no seamos conscientes de ello, somos una persona, un ser humano que merece todo el respeto del mundo. Por ello, es importante aprender cómo hablarnos de manera cariñosa y que nos motive.

Uno de los autores importantes en el ámbito de la psicología cognitiva, Meichenbaum (1975) ideó una forma de hablarse a uno mismo que denominó autoinstrucciones. Éstas consisten en una serie de pasos que voy a plantear basándome en la idea de ese autor y adaptándolos a nuestros objetivos.

Paso 1: Identifica la dificultad o situación.

El primer paso consiste en preguntarnos qué es lo que nos está ocurriendo en un momento dado y cuál es la dificultad que se nos ha presentado.

Paso 2: Date cuenta de tus pensamientos y de lo que haces.

Una vez sepamos cuál es la dificultad a la que nos estamos enfrentando, conviene plantearnos cuáles son nuestros pensamientos y conductas ante la misma. ¿Estamos teniendo algún pensamiento negativo que nos genera ansiedad? ¿Cuál es? ¿Cómo estamos actuando ante la situación?

Paso 3: Objetivos.

En este paso identificamos nuestros objetivos en la presente situación difícil, reflexionamos sobre lo que nos gustaría que pasase y qué es lo mejor que podemos pensar y hacer para que pase realmente.

Paso 4: Autoinstrucción.

Aquí llevamos la instrucción propiamente dicha y nos decimos a nosotros mismos qué es lo que vamos a hacer, paso a paso, guiando de esta manera nuestra conducta.

Paso 5: Autorrefuerzo, corrección de errores y reflexión.

Me digo a mi mismo/a qué es lo que estoy haciendo bien, reconociendo mi mérito. A la vez, corrijo los errores que esté cometiendo y reflexiono sobre lo que estoy haciendo.

Veamos un ejemplo:

1. Situación: *He decidido hablar con la chica que está sentada en un banco leyendo una novela y no sé cómo hacerlo, ni qué puedo decirle.*

2. Qué estoy pensando: *Estoy pensando que no puedo hacerlo, que va a pensar que estoy loco y no querrá hablar conmigo. Seguro que me mandará a pasear y se molestará conmigo.*

3. Objetivos: *Mis objetivos en esta situación consisten en hablar con ella e intentar conocerla. Me gustaría que quisiera charlar conmigo y, si pudiera ser, que me diera su número de teléfono. Lo mejor que puedo hacer es intentarlo. Si no lo consigo, lo intentaré de nuevo con otra chica.*

4. Autoinstrucción: *Levántate de este banco y acércate a ella. Seguro que puedes hacerlo y no va a pasar nada, ya verás. Ve andando hacia ella como si nada y pregúntale la hora. Después, pregúntale qué está leyendo y sigue con cualquier otro tema. Respira despacio y levántate, ¡vamos!*

5. Autorrefuerzo: *Muy bien, ¡fenomenal! Te has levantado y estás yendo hacia ella. Lo haces genial, seguro que todo irá estupendamente. Eso sí, estás mirando al suelo… No importa, lo corrijo enseguida. Sin miedo, levantamos la cabeza, la miramos y le hacemos la pregunta.*

CUÁNDO Y CÓMO LLEVAR A CABO LAS AUTOINSTRUCCIONES

Las autoinstrucciones nos ayudan en todas las situaciones en las que sentimos ansiedad o cuando no sabemos cómo actuar. Igualmente, son muy útiles en personas que se comportan de manera impulsiva e incluso agresiva. Cuando tenemos ansiedad, podemos usarlas para anticiparnos a los pensamientos negativos y automáticos. Se trata de «obligarnos» a pensar de manera racional en las situaciones en las que sabemos que solemos encontrar dificultades.

Para ello, te propongo hacer una lista de situaciones relacionadas con tu problema de ansiedad. Puedes cogerla de los registros o las tablas que has ido rellenando a lo largo de los capítulos anteriores. Después, te propongo que prepares varias tarjetas con autoinstrucciones que puedas utilizar en cada situación de la lista.

Para que te resulte más fácil, puedes analizar el ejemplo de autoinstrucciones de mi paciente Yolanda, que tenía fuerte ansiedad ante los exámenes.

Situación que me provoca ansiedad:
Examen de antropología

Autoinstrucciones:

1. Situación: Estoy a punto de entrar en el aula para hacer el examen de antropología. Veo a mi profesora y a los compañeros que están repasando los apuntes.
2. Pensamientos: Estoy pensando que no podré hacerlo, que no sirvo para estudiar y que no lo voy a conseguir nunca. Pienso que esto será un desastre y que pronto me echarán de la carrera.
3. Objetivos: Aprobar el examen.
4. Autoinstrucción: Yolanda, ve andando despacio hacia la puerta del aula y entra tranquilamente. Respira y esfuérzate para pensar de manera racional. ¿Te acuerdas de los pensamientos de las tablas? ¡Repásalos ahora mismo! Siéntate en la mesa y céntrate en el examen. ¿Qué debes hacer? Vamos a leer la primera pregunta. ¡Muy bien! ¿La he entendido? ¿Qué es lo que me piden? Bien, ya lo tengo. Respondemos despacio…
5. Autorrefuerzo: ¡Muy bien, Yolanda! Estás respondiendo, poco a poco. ¿Hay alguna pregunta sin contestar? Sí, hay unas pocas. Bueno, no pasa nada, ahora las respondemos. ¡Lo estoy haciendo muy bien!

Ahora te propongo que prepares las tarjetas para las situaciones en las que sueles tener ansiedad. Puedes hacer varias copias de la tabla.

Situación que me provoca ansiedad:
Autoinstrucciones:
1. Situación:
2. Pensamientos:
3. Objetivos:
4. Autoinstrucción:
5. Autorrefuerzo:

Apréndetelas y ensaya estas situaciones una y otra vez, como si hicieras un simulacro de los que llevan a cabo los bomberos o las fuerzas de seguridad.

SILLA VACÍA

Una de las técnicas que han resultado muy útiles en las terapias psicológicas es la silla vacía. Se trata de ensayar, una y otra vez, las situaciones en las que solemos tener ansiedad. Para ello, nos pueden resultar muy útiles una o varias sillas vacías. Esta técnica suele funcionar especialmente bien si nuestro miedo tiene que ver con situaciones donde suele haber más personas. Se trata de imaginar que hay personas sentadas en una o viarias sillas vacías y realizar las actividades que nos provocan miedo como si de una situación real se tratase. Por ejemplo, si tenemos miedo a hablar en público, colocamos unas cuantas sillas, imaginamos fuertemente que hay personas sentadas en éstas y exponemos un tema. Si tenemos ansiedad ante una entrevista de trabajo, ponemos una silla delante de nosotros e imaginamos ahí una persona que nos hace una (hasta le enseñamos el currículum y lo defendemos).

En realidad, las sillas son sólo una herramienta que nos puede resultar útil. Por otra parte, te recomiendo que utilices tu imaginación para ensayar las situaciones difíciles. Por supuesto, puedes involucrar a otras personas si tienes a alguien que pueda ayudarte. Mientras ensayas, oblígate a pensar de manera racional utilizando las autoinstrucciones. Si notas ansiedad, siéntela por un momento y, después de éste, háblate para tranquilizarte. Realiza este ejercicio una y otra vez con distintas situaciones.

Simulacro

Aunque a muchos de mis pacientes les parezca absurdo lo que les propongo cuando quiero que ensayen situaciones que les provocan ansiedad, se trata de una práctica ampliamente extendida. Por ejemplo, si alguno tiene miedo a hablar en público, le pido que reúna a su familia y haga una presentación de cualquier tema. Si no tiene a nadie que le pueda ayudar, le digo que ponga unas cuantas sillas vacías y les hable como si hubiese gente importante sentada en las mismas. Si uno tiene miedo a las arañas, le pido que haga unas cuantas de papel y que juegue con ellas imaginando fuertemente que son reales. Más de uno ha acariciado a un perro imaginario, se ha montado en un avión inexistente, ha hecho entrevistas de trabajo con un oso de peluche o ha confesado un secreto a una foto. Aunque a primera vista parezca sólo teatro, es un ejercicio extremadamente útil.

Imagino que el lector ha tenido la oportunidad de participar o ver un simulacro de desalojo o de un rescate después de un atentado imaginario. Si éstos se llevan a cabo en todo el mundo, se gasta dinero público, tiempo y esfuerzo, ¿crees realmente que es sólo para hacer teatro? Pues yo estoy convencida de que no, dado que uno aprende de verdad cuando practica una y otra vez. Muchos de mis pacientes ya lo han comprobado. ¡Ahora te toca a ti!

8. RELAJARSE Y DORMIR BIEN

Uno de los problemas que frecuentemente conviven con la ansiedad son las dificultades a la hora de dormir. No es fácil desconectar de nuestros problemas cuando nos metemos en la cama y muchos de nosotros seguimos dándole vueltas justo en ese momento de calma que, finalmente, se convierte en tensión. Obviamente, existen una serie de trastornos del sueño y cada uno de ellos debería ser evaluado por un especialista, para después fijar un programa de tratamiento específico. No obstante, si tu problema está más bien relacionado con la ansiedad, hay una serie de técnicas de las que, sin duda, puedes beneficiarte.

Por otra parte, la ansiedad tiene estrecha relación con la tensión mental y también corporal. Curiosamente, los seres humanos estamos continuamente autoanalizándonos y, por ello, existe una especie de círculo vicioso en el que la ansiedad provoca tensión corporal y, a su vez, el hecho de estar tensos provoca todavía más ansiedad. Igualmente, se puede cambiar este círculo vicioso de ansiedad en otro de relajación. Obviamente, no se trata de un remedio mágico ni tampoco de panacea que hará que nuestra ansiedad desaparezca. Sin embargo, las técnicas de relajación ayudan mucho a reducirla.

RELAJARSE RESPIRANDO

El primer paso en nuestro camino hacia la relajación consiste en aprender cómo respirar correctamente. Muchos de los síntomas de la ansiedad se deben a la llamada hiperventilación. Cuando ésta ocurre, la persona respira muy rápido y, pronto, los niveles de oxígeno en la sangre son tan altos que producen una sensación de mareo, opresión en el pecho, sensación de falta de aire o taquicardia. Estos síntomas, aunque muy desagradables, no son en absoluto peligrosos. Aun así, nos llevan a tener más ansiedad. Se parecen un poco a la sensación de cuando uno infla un colchón o una colchoneta de playa. Precisamente, cuanto más respiramos, tenemos más mareo y sensación de falta de aire. Eso es así también porque el cerebro «se da cuenta» de que tenemos demasiado oxígeno en la sangre y, a su vez, demasiado poco dióxido de carbono, y manda la señal a los pulmones para que «respiren menos». Si nosotros, conscientemente, intentamos coger cada vez más aire, tenemos la sensación de no poder respirar.

Por los motivos comentados en el párrafo anterior, la respiración lenta y tranquila suele disminuir notablemente los síntomas de la ansiedad. Para ello, se recomienda respirar con el abdomen, inflando y desinflando la barriga como si se tratase de un globo. También podemos poner una mano en el pecho y la otra en el abdomen e intentar respirar de tal forma que se mueva la que tenemos en el estómago, permaneciendo prácticamente quieta la otra. No es un proceso fácil y habitualmente hace falta practicarlo para aprender cómo llevarlo a cabo. A su vez, podemos contar hasta tres a la hora de inspirar, y nuevamente hasta tres cuando espiramos, para mantener un ritmo tranquilo y lo suficientemente lento como para restablecer los niveles de oxígeno y dióxido de carbono.

Para superar la ansiedad patológica, te recomiendo que practiques respiración abdominal todos los días durante al menos cinco o diez minutos. Puedes empezar sentado/a en un sillón cómodo o tumbado/a en la cama. Cuando ya domines la técnica, practícala en diferentes situaciones durante el día, por ejemplo, andando, trabajando, conduciendo, etc. Utilízala siempre en los momentos de alta ansiedad y verás cómo los síntomas irán disminuyendo.

RELAJA TU MENTE RELAJANDO TU CUERPO

Una vez aprendamos cómo respirar despacio, podremos pasar a la segunda fase en la que aprenderemos la relajación progresiva de Jacobson (1938). Ésta consiste en tensar durante unos 10 o 15 segundos y, posteriormente, relajar durante unos 20 segundos diferentes grupos musculares, notando así la diferencia entre la tensión y la relajación. Todos los ejercicios deberían ser realizados con cuidado. Si tienes problemas de huesos o musculares, consulta con tu médico antes de llevarlos a cabo. Recuerda que en ningún momento debes sentir dolor.

La descripción detallada de los ejercicios se encuentra en el siguiente cuadro.

Instrucciones para la relajación muscular progresiva

1. Sitúate en un lugar cómodo, buscando una postura lo más relajada posible. Si te apetece, puedes cerrar los ojos, atenuar la luz e incluso poner algo de música relajante.

2. Empieza realizando la respiración abdominal durante unos minutos. Dite y repite varias veces, «dentro de tu cabeza», una frase relajante como, por ejemplo, «cuando espiro, expulso toda la tensión y al inspirar, me lleno de aire limpio y lleno de tranquilidad» o «me siento cada vez más relajado/a, tranquilo/a y sereno/a, me doy cuenta de que desaparece toda la tensión y me lleno de la sensación de gran alegría y relajación plena». Puedes utilizar estas frases o inventar otras con las que te sientas más cómodo/a.

3. A continuación, vamos a empezar los ejercicios de tensión y relajación, aprendiendo en todo momento la diferencia entre esos dos estados. Es importante que tensemos sólo un grupo muscular a la vez, dejando relajado el resto de nuestro cuerpo.

   a. Vamos a comenzar por los miembros superiores. Para ello, cerramos las manos en puños y apretamos con todas nuestras fuerzas, notando la tensión de nuestras manos. Es una sensación molesta y queremos expulsarla. Por ello, relajamos las manos, poco a poco, y notamos una agradable sensación de relajación, tan diferente del estado de la tensión. Repetimos el ejercicio por segunda vez y pasamos a tensar el antebrazo, doblando la muñeca. Nuevamente, notamos la tensión, tan desagradable y molesta, para después destensar el antebrazo por completo y sentir la placentera relajación. Repetimos una vez más y tensamos los bíceps doblando los codos. Nos damos cuenta de la tensión, y después de la gran relajación, tan diferente de la primera, al destensar nuestros bíceps. Repetimos el ejercicio y pasamos a los miembros inferiores.

b. Nos centramos en nuestros pies y arqueamos los dedos como si quisiéramos tocar con ellos los talones. Notamos la tensión en nuestros pies y posteriormente los relajamos, dándonos cuenta de la diferencia entre los dos estados. Repetimos una vez más y pasamos a tensar los gemelos, levantando los dedos de nuestros pies como si quisiéramos tocar con ellos la parte anterior de la pierna. Nos damos cuenta de la tensión, aguantamos unos segundos, y relajamos nuestros gemelos para posteriormente repetir el ejercicio una vez más. Por último, pasamos a tensar los muslos, apretando los talones contra la cama (si estamos tumbados) o los pies contra el suelo (si nos encontramos sentados). Repetimos una vez y nos centramos en nuestro tronco.

c. Empezamos por la parte superior de la espalda, llevando los hombros hacia atrás y juntando las escápulas. Notamos la tensión, relajamos y repetimos una vez más. En segundo lugar, arqueamos suavemente la parte baja de la espalda, tensando y después destensando esa parte (dos veces). Pasamos a tensar el pecho, cogiendo el aire y notando la desagradable sensación de presión. Soltamos los músculos y respiramos con normalidad, gozando de la placentera relajación. Repetimos y ahora empezamos a tensar la barriga, encogiéndola fuertemente. Apretamos durante unos segundos y soltamos el estómago, dándonos cuenta de la diferencia entre la tensión y la relajación (y repetimos).

d. Ahora nos centramos en nuestro cuello, llevando suavemente la cabeza hacia nuestro hombro derecho y dándonos cuenta de cómo se tensa su parte izquierda. Aguantamos la tensión durante unos segundos y volvemos a la posición normal. Repetimos el ejercicio y hacemos lo mismo para tensar y destensar la parte derecha de nuestro cuello, llevando esta vez la cabeza hacia el hombro izquierdo (siempre con mucho cuidado). A continuación, tensamos y después relajamos nuestros labios (dos veces), apretando fuertemente un labio contra el otro. Igualmente, tensamos los párpados, cerrando con fuerza los ojos, para después relajarlos y notar la diferencia entre la tensión y la relajación. Repetimos el ejercicio y, por último, arrugamos la frente arqueando las cejas. Notamos la tensión, y después una agradable relajación, y repetimos una vez más.

4. Permanece en la misma posición durante unos minutos más, después de haber terminado los ejercicios. Nota cómo todo tu cuerpo está profundamente relajado y date cuanta de que es una sensación muy placentera. Dite, nuevamente, algunas frases relajantes «en la cabeza», como por ejemplo «me siento profundamente relajado y sé que esa relajación se mantendrá durante todo el día y podré volver a ella cuando quiera».

5. La relajación se aprende practicando y, si lo haces todos los días, tendrás una magnífica ayuda para vencer tu ansiedad patológica. Cuando notes que dominas bien la técnica, puedes dejar de tensar los músculos y simplemente analizar las mismas partes de tu cuerpo notando cómo se relajan. La secuencia sería exactamente igual, sólo que sin tensar.

6. Utiliza la relajación en los momentos de ansiedad, respirando despacio y manteniendo tu cuerpo lo más relajado posible. Aunque no se trate de una varita mágica y la ansiedad no desaparecerá por completo, verás cómo disminuirá notablemente. Es así porque la ansiedad y la relajación son dos estados incompatibles, y relajando nuestro cuerpo «obligamos» a nuestra mente a que se relaje.

Si sufres un problema de ansiedad, lo mejor es llevar a cabo estos ejercicios todos los días. Cuantas más veces practiques, mejor te irá y, por eso, no te desanimes si al principio no consigues relajarte. A su vez, te recomiendo que busques ayuda de tu terapeuta también en este aspecto, e incluso puedes apuntarte a un taller de relajación que se realice en algún centro de psicología.

DORMIR BIEN

Intención paradójica

La intención paradójica es una curiosa técnica utilizada con frecuencia en las consultas de psicología. Aunque parezca absurdo, se trata de hacer justo lo contrario de lo que haríamos de forma «natural e intuitiva» para conseguir un objetivo. Por ejemplo, si tenemos miedo a ponernos rojos, si intentamos no hacerlo, la ansiedad aumentará y justo entonces es cuando nos ruborizaremos. Si utilizamos la intención paradójica, intentaríamos ponernos rojos y de esta forma nos quedaríamos bastante más tranquilos.

Si aplicamos esta técnica a nuestros problemas de sueño, tal como indica Buela-Casal y Sierra (2004), nos acostamos y decidimos no dormir en toda la noche. ¡Al fin y al cabo, aunque no durmamos, no nos vamos a morir! Por tanto, lo que queremos hacer es estar muy relajados (y utilizaremos técnicas de relajación para conseguirlo) pero sin dormir.

¿Por qué funciona esta técnica? Pues porque cuando nos preocupamos por quedarnos dormidos, hacemos un esfuerzo para conseguirlo y pensamos en lo mal que lo pasaremos si no dormimos, nos ponemos tensos y nerviosos. Lógicamente, esa tensión nos despierta aún más. Sin embargo, si decidimos relajarnos pero no dormir, la ansiedad disminuirá y probablemente nos quedaremos dormidos «sin querer».

Dormir bien, cuando tenemos ansiedad, es muy difícil. Por un lado, porque estamos tensos y para conciliar el sueño, hace falta estar relajados. Por otra parte, no nos dejamos llevar porque, con frecuencia, estamos dándole vueltas a la cabeza y pensando en nuestros problemas. Todo esto hace que no nos quedemos dormidos y si a eso le añadimos la preocupación por no dormir, una noche en vela está prácticamente asegurada.

Tal y como se explica en el cuadro, lo primero que podemos hacer es intentar relajarnos profundamente y no dormir. Al mismo tiempo, te recomiendo que hagas ejercicios de relajación. Primero, céntrate en la respiración. Respira despacio en ritmos de tres en tres. Después, céntrate en diferentes partes de tu cuerpo, una a una, empezando por los pies y terminando en la cabeza y la cara. Imagínate que cada una de esas partes está muy pesada y muy caliente y cómo, poco a poco, se va relajando cada vez más. Cuando termines, puedes empezar a hablarte «dentro de tu cabeza». Imagina una voz cálida y agradable. Puede ser la tuya o la de cualquier persona que te dé tranquilidad. Cuenta hasta cinco y dite a ti mismo/a cómo te relajas con cada número, por ejemplo:

Ahora, voy a contar hasta cinco y notaré cómo, con cada número, me voy relajando cada vez más...

UNO.—Me doy cuenta de que todos los músculos de mi cuerpo están profundamente relajados.
DOS.—Noto que también se han relajado profundamente todas las partes de mi cuerpo: mis órganos, mi cabeza, hombros, espalda, brazos, tronco y piernas...
TRES.—Me doy cuenta de que igual que mi cuerpo, mi mente también está profundamente relajada.
CUATRO.—Es una relajación muy profunda y siento como si estuviese flotando en el aire.
CINCO.—Ya no estoy aquí, ahora me traslado a un lugar distinto (véase detalles más abajo).

Esta técnica incluye elementos de autohipnosis (Capafons, 2001; Nardone, Loriedo, Zeig y Watzlawick, 2008). La practico regularmente con los pacientes que tienen problemas de sueño relacionados con la ansiedad y, curiosamente, éstos desaparecen en la mayoría de los casos.

Una vez que termines de contar hasta cinco, imagínate fuertemente cómo te trasladas a un lugar distinto que, para ti, esté relacionado con la relajación. Puede tratarse de una playa, una montaña, un bosque, etc. Cualquier sitio que te guste. Imagínatelo con todos sus detalles y evocando sensaciones de todos los sentidos, piensa en lo que ves, lo que escuchas, los olores que haya, el tacto e incluso el gusto. Escribe tu propia pequeña historia de la actividad que llevas a cabo en ese sitio tan bonito. Para que te resulte más fácil, puedes utilizar el ejemplo que incluyo a continuación.

Buscando flores en un prado...

Me doy cuenta de que me he trasladado a un lugar diferente y que ahora estoy buscando flores en un precioso prado. Ando descalza por la hierba y noto su suave tacto sobre mis pies. Ando despacito y veo miles o quizás millones de flores de diferentes colores y tamaños, sobre todo amarillas y azules. Las voy cogiendo, poquito a poco, haciendo un bonito ramo que huele muy dulce. De repente, veo que hay algunas fresas entre las flores, grandes, rojas y de un aspecto realmente sabroso. Cojo una y me la llevo a la boca, empiezo a masticar y noto un sabor extraordinario, son dulces, jugosas y muy aromáticas. A su vez, veo bonitos pájaros azules que cantan alegremente...

En este caso, tan sólo se trata de un ejemplo y lo mejor que puedes hacer es crear tu propia escena relajante. Te propongo que lo hagas en el cuadro que he incluido a continuación.

Tu título: _____

Escribe tu escena relajante:

HIGIENE DEL SUEÑO

Hay algunas claves relacionadas con la llamada higiene del sueño y que, sin duda, pueden ayudarnos a dormir mejor. Tal como explican Sierra y Buela-Casal (1997) dormiremos mucho mejor si:

— Nos levantamos todos los días a la misma hora, aunque tengamos sueño. Si tenemos problemas para quedarnos dormidos por la noche, es mejor no dormir siesta e ir a la cama cansados. Si no nos quedamos dormidos hasta las tantas, no es conveniente «recuperar» ese sueño por la mañana porque si lo hacemos, nuestro cuerpo tenderá a repetir ese mismo ciclo el día siguiente. Para dormir por la noche, ¡lo más importante es levantarnos temprano, aunque tengamos sueño!

— No utilizamos el dormitorio, ni mucho menos la cama, para otras actividades diferentes al sueño (y sexo). Muchas personas trabajan en la cama, otras chatean con amigos o ven películas. Todas estas cosas se asocian con la actividad y hacen que después no podamos dormir bien.

— Nos relajamos antes de irnos a la cama y hacemos algo que nos dé tranquilidad, como por ejemplo, tomarnos un baño, escuchar música tranquila, o leer un ratito (eso sí, nunca en la cama).

— Cuidamos nuestra cama y procuramos que esté bien hecha, lo suficientemente ancha, con un colchón y una almohada de buena calidad, tapándonos lo justo y lo necesario para no tener ni frío ni calor.

— Cuidamos el ambiente en el que dormimos, evitando ruidos, frío o calor, abriendo las ventanas para que el dormitorio se ventile todos los días, etc.

— No cenamos justo antes de irnos a la cama y hacemos una cena ligera. Igualmente, dormiremos mejor si no bebemos mucha agua antes de acostarnos, no tomamos alimentos ricos en azúcar, ni mucho menos alcohol a la hora de dormir (que por cierto, primero hace que tengamos sueño pero en muy poco tiempo despierta), ni tampoco consumimos tabaco.

— Si solemos levantarnos de la cama para orinar, es importante reducir la cantidad de líquido ingerido antes de acostarnos. Si aun así tenemos la sensación de necesidad de orinar pero cuando nos levantamos y vamos al servicio no expulsamos más de una gota (porque la sensación no es real), entonces es muy importante que dejemos de levantarnos, obligándonos a permanecer en la cama a pesar de la misma. Lógicamente, será más difícil dormirnos durante un tiempo pero poco a poco nuestro cuerpo se acostumbrará a no levantarnos y la sensación desaparecerá.

Ciertamente, no todas estas claves se aplican a tu caso, dado que diferentes personas tienen distintos problemas a la hora de dormir. No obstante, estoy convencida de que puedes sacar provecho de algunas de ellas. Reflexiona sobre ello durante unos minutos y recoge las claves que consideres útiles para relajarte y dormir mejor.

Claves útiles para relajarme y dormir mejor

9. ACTÚA PARA QUE LA ANSIEDAD DEJE DE CONTROLAR TU VIDA

Tal como hemos comentado en los capítulos anteriores, la reacción de ansiedad es una respuesta natural del organismo ante un peligro. Hemos visto que ésta tiene tres componentes: el pensamiento, las sensaciones / reacciones fisiológicas y también la conducta. Igualmente, hemos mencionado que, aunque a veces cueste creerlo, la conducta es bastante independiente de los demás componentes. Eso quiere decir que tenga los pensamientos que tenga, con cualquier emoción, yo soy la única persona que puede dirigir mis actos y éstos no tienen por qué depender de los pensamientos y de las emociones. Aunque estemos acostumbrados a oír que hacemos ciertas cosas porque tenemos miedo o estamos tristes o alegres, en realidad, esa relación de emoción como la causa y la conducta como resultado no existe.

Ana era una mujer joven, de 27 años, felizmente casada y con un niño de 6 años llamado Mario. Llegó a la consulta quejándose de que tenía mucha fobia al agua por culpa de una experiencia pasada en la que casi se ahoga y que, por suerte, consiguieron rescatarla en el último momento. Desde entonces, sólo se había metido una vez, cuando vio a su hijo Mario caerse de la colchoneta entre las olas. Entonces, se levantó corriendo de la toalla, se metió en el agua sin dudarlo ni un segundo y consiguió sacarlo sin ningún problema. Cuando preguntábamos a Ana por qué no se metía en el agua habitualmente, nos respondía que era porque tenía miedo. Sin embargo, ¿era el miedo la causa? Si fuese así, entonces tendría que dejar de tener miedo para entrar en el agua cuando, en realidad, la vez que su hijo se cayó de la colchoneta, no dejó de tener miedo al agua e incluso tuvo más miedo todavía a que su pequeño pudiera estar en peligro.

La historia de Ana es parecida a las que vivimos con frecuencia. Sentimos emociones y pensamos que son la causa de nuestra conducta como, en este caso, cuando Ana pensaba que el miedo era una buena causa para no meterse en el agua. Sin embargo, cuando encontramos una razón mejor, como ver amenazada la vida de nuestros hijos, somos capaces de hacerlo sin dudar, aunque el miedo no haya desaparecido. Si fuese una causa real, tendría que desaparecer necesariamente para poder realizar la conducta. Por ejemplo, si una persona es minusválida y va en una silla de ruedas por una lesión de columna, pase lo que pase, si no desaparece la lesión, la persona no andará. Por tanto, la lesión es una causa verdadera y el miedo no lo es.

Todo lo dicho en los párrafos anteriores nos trae una buena noticia de la que, tal vez, no éramos conscientes hasta ahora. Estos ejemplos nos hacen ver que el miedo no puede controlar nuestras vidas y que no necesariamente tenemos que eliminarlo para recuperar el control de éstas (Barraca, 2005). En realidad, podemos hacer cualquier cosa, aun teniendo mucho miedo. La cuestión está en centrarnos en lo que realmente nos importa para nuestras vidas y esforzarnos para conseguirlo, tengamos o no emociones desagradables. Eso es así también porque nosotros no somos nuestras emociones. Somos mucho más que éstas.

Una buena metáfora, basada en los hallazgos de la nueva generación de terapias conductuales, es la del televisor y los programas que vemos en éste. A veces podemos ver un programa muy triste y otras veces uno alegre, en ocasiones vemos documentales basados en la realidad y otras veces películas de ficción. No obstante, el televisor es siempre el mismo, no cambia dependiendo del canal que veamos. Eso mismo pasa con el ser humano. A veces sentimos emociones positivas, otras veces negativas, con frecuencia tenemos pensamientos agradables o no tan agradables. Pero nosotros no somos nuestros pensamientos o emociones. Somos mucho más que eso, mientras que los pensamientos y las emociones son algo que uno tiene y no lo que uno es.

Tal y como hemos visto en los capítulos anteriores, los pensamientos se pueden cambiar hasta cierto punto, y eso hace que nuestros sentimientos también cambien. No obstante, se trata de aproximarnos un poco a la imposible perfección pero siempre teniendo muy en cuenta que no pretendemos llegar a la misma. Es igual que arreglarnos todos los días. Nos lavamos, elegimos la ropa que ponernos, nos peinamos, etc., pero no pretendemos realmente convertirnos en una belleza perfecta. Tiene sentido arreglarnos pero no lo tiene intentar conseguir la perfección. Por ello, podemos cambiar algunos pensamientos pero también es importante que aceptemos que la presencia de los errores de pensamiento y emociones desagradables es inevitable. Eso es así también porque nuestra amígdala se dispara a veces sin que tengamos que razonar nada, de forma automática y rápida.

QUÉ HACEN LAS PERSONAS QUE SIENTEN ANSIEDAD PATOLÓGICA

Paradójicamente, las personas que sienten ansiedad patológica tienden a actuar de manera que, en vez de mejorar, empeoran su problema. Dado que se creen incapaces de llevar una vida normal, empiezan a evitar, a toda costa, situaciones que puedan provocarles miedo. Muchos piensan que la ansiedad es peligrosa en sí y que incluso pueden sufrir un infarto o morirse de miedo. ¡Nada más lejos de la realidad! El miedo y la ansiedad son emociones muy naturales en el ser humano y aunque puedan resultar desagradables, ni son horribles ni pueden ser peligrosas. Es más, ¡no son insoportables! A pesar de ello, las personas con ansiedad patológica:

— Evitan lugares y situaciones donde ésta se pueda presentar. Esto significa, en términos generales, que dejan de hacer lo que les da miedo.
— Realizan conductas «supersticiosas» que les dan seguridad, tales como estar con determinadas personas o llevar siempre un ansiolítico encima.

123

La evitación de las situaciones que provocan miedo termina convirtiendo el problema en un círculo vicioso en el que la persona siente miedo ante una situación, la evita y, de esta manera, a pesar de sentir un alivio temporal, refuerza la idea sobre la peligrosidad de la misma. Este círculo es el siguiente:

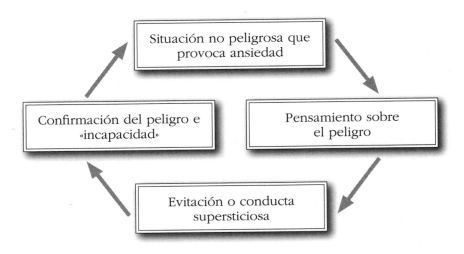

Veamos algunos ejemplos:

Miedo ante los exámenes de Chari

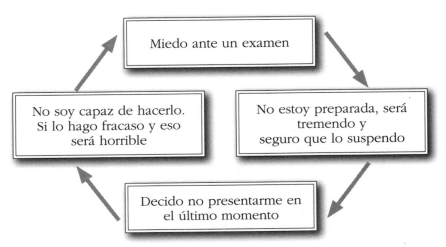

Tal y como podemos apreciar en el presente círculo vicioso, Chari presentaba un fuerte miedo ante un examen y pensaba que no estaba preparada y que lo iba a suspender seguro, a pesar de haberse preparado bien. Esto la llevaba a decidir no presentarse en el último momento y, cuando se quedaba en casa aquellas mañanas en vez de hacer su examen, sentía un alivio momentáneo. No obstante, la conclusión que sacaba Chari, estaba clara para ella y decía que no era capaz de hacer un examen y eso la llevaba a sentir más miedo todavía la próxima vez. Simplificando un poco, el miedo la llevaba a no hacer los exámenes y el hecho de no presentarse hacía que cada día sintiera más miedo.

Miedo al miedo de Manuel

En este caso, Manuel tenía miedo a los síntomas del miedo, tales como la taquicardia y, cuando la notaba, pensaba que iba a tener un infarto y morirse. En estas situaciones, salía corriendo del sitio en el que se encontraba y se iba a casa. Cuando lo hacía, sentía alivio y dejaba de tener taquicardia. Eso le llevaba a una conclusión de la que raramente era consciente, según la cual él no podía salir como las demás personas y que su salud era muy débil por culpa de la ansiedad. La conducta de salir corriendo le hacía pensar que, cada vez que lo hacía, se salvaba y no le pasaba nada gracias a haberse ido a casa y reforzaba de esta manera la creencia sobre la peligrosidad de los síntomas de ansiedad.

Miedo a los insectos de Alicia

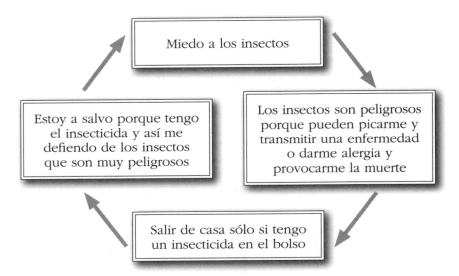

Alicia, que tenía miedo a los insectos, realizaba una conducta supersticiosa, es decir, llevaba siempre un insecticida en el bolso y, de esta manera, se sentía protegida. Por un lado, le daba seguridad a corto plazo, aunque a largo plazo la llevaba a la conclusión de que sólo estaba a salvo gracias a ello y que los insectos efectivamente eran peligrosos.

¿Cuáles son tus conductas de evitación y de seguridad? Te propongo que las describas brevemente. _____

_____

_____

_____

_____

_____

¿Cuál es tu círculo vicioso? Dibújalo utilizando los ejemplos anteriores y el esquema que incluyo a continuación.

Miedo a _____ de_____

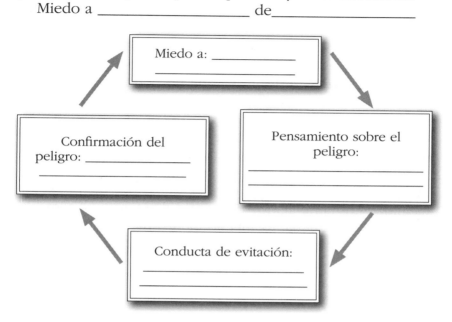

¿QUÉ PUEDO HACER?

Entonces, ¿qué podemos hacer para que la ansiedad deje de controlar tu vida? Una buena forma consiste en «hacernos amigos de ella» y exponernos a las situaciones que la evocan. La ansiedad suele ser un síntoma de un problema que ocurre en nuestras vidas y la mejor solución es afrontar dicho problema. Soy totalmente consciente de que esta idea no suele gustarles a las personas que tienen ansiedad. Igualmente, sé que lo que propongo es desagradable. No obstante, ¿crees que tu situación actual sí es cómoda y agradable? En realidad, la exposición es incómoda, pero la vida con ansiedad es mucho peor.

Aunque tal vez pienses que no puedes exponerte a las situaciones que te provocan ansiedad, esa creencia está bastante equivocada. En mi consulta, suelo preguntar a mis pacientes qué elegirían si tuvieran que escoger entre tener un ataque de ansiedad fortísimo o que se les cortara la parte de su cuerpo que menos usan. Te aseguro que prácticamente todo el mundo responde sin dudar que antes de que le corten, por ejemplo, un trozo de la oreja, preferirían tener el peor ataque de ansiedad de su vida. Y ahora me pregunto, si eso es así, ¿quiere decir eso que no podrías vivir normalmente sin un trozo de oreja, sin un dedo o incluso sin un brazo entero? Pues claro que podrías vivir perfectamente. Por tanto, si has elegido la ansiedad antes que eso, ¿realmente piensas que no puedes actuar normalmente a pesar de tenerla? Igualmente, tampoco sería horroroso, tremendo e insoportable vivir sin un trozo de oreja, por ejemplo, y si elegimos un fuerte ataque de ansiedad antes de cortárnosla, entonces lógicamente es mucho menos molesto que eso último. Todo eso nos lleva a la conclusión de que uno puede enfrentarse a la ansiedad.

10. EXPONERSE Y SOBREPONERSE

Tal y como he comentado en el capítulo anterior, la ansiedad aparece también por nuestra forma de actuar. Por tanto, podemos hacer diferentes ejercicios que nos ayuden a superarla. Si hacemos justo lo que nos da miedo, por un lado, aprendemos que no hay nada que temer realmente y, además, veremos que la ansiedad en sí no es ningún monstruo. Por el contrario, la exposición nos ayuda a hacernos amigos de ella y darnos cuenta de que, aunque no nos guste, podemos soportarla y, aún teniéndola, podemos hacer cualquier cosa que consideremos oportuna. De esta manera, romperemos el círculo vicioso de la evitación, tal como lo han hecho Chari, Manuel y Alicia.

Chari superó su miedo ante los exámenes

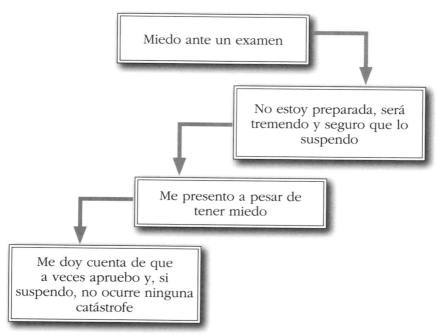

Miedo ante un examen

No estoy preparada, será tremendo y seguro que lo suspendo

Me presento a pesar de tener miedo

Me doy cuenta de que a veces apruebo y, si suspendo, no ocurre ninguna catástrofe

¿Recuerdas el miedo que tenía Chari ante los exámenes? Pues bien, a lo largo de la terapia conseguimos que Chari se presentase, a pesar de su miedo. Ella se dio cuenta de que podía hacerlo e incluso aprobó algunos exámenes. Otros no fueron tan bien y aunque los suspendiera, gracias a la exposición, se dio cuenta de que no era tan horroroso como ella pensaba y que, en realidad, no pasaba nada.

Manuel se dio cuenta de que la taquicardia no le mataba

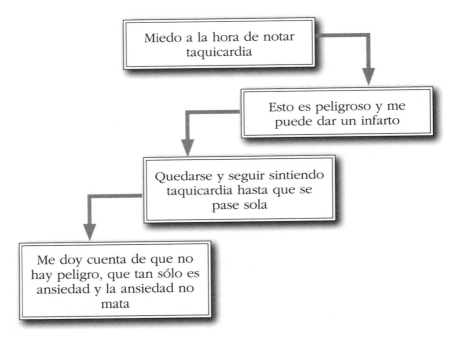

¿Y qué ha pasado con el miedo al miedo de Manuel? Sinceramente, se dio cuenta de que la taquicardia era una reacción normal de su cuerpo ante la ansiedad y que no era peligrosa. Por supuesto, antes de llevar a cabo la terapia nos aseguramos de que ésta se debía realmente a la ansiedad mediante un minucioso examen médico. La exposición hizo que Manuel se convenciera en la práctica y, de esta manera, su miedo disminuyó hasta tal punto que finalmente dejó de tener frecuentes taquicardias.

Alicia se acostumbró a los insectos

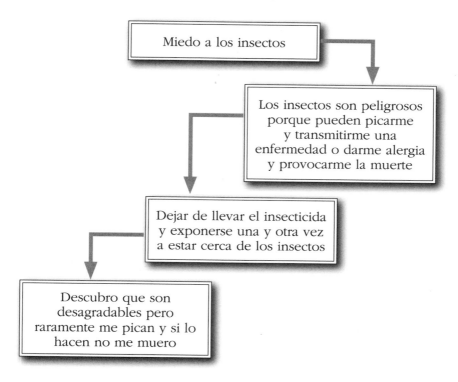

Alicia también se acostumbró a los insectos y dejó de tenerles miedo gracias a la exposición. Nuevamente, primero pasó unas pruebas médicas para asegurarnos de que realmente no tenía ningún tipo de alergia y que los insectos no le hacían más daño de lo normal. Cuando dejó de evitarlos y se enfrentó a ellos, descubrió que de verdad no era para tanto.

Ahora te propongo que dibujes qué es lo que descubrirás tú gracias a dejar de evitar y exponerte a las situaciones que te provocan miedo.

_____(tu nombre) ha superado el miedo a

_____

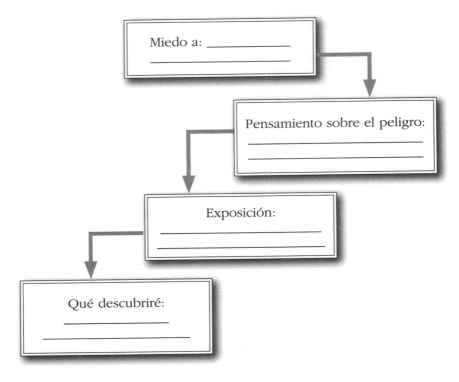

Describe brevemente qué descubrirás gracias a la exposición y cómo ésta te ayudará a superar la ansiedad:

_____
_____
_____

EXPONTE A LA ANSIEDAD Y HAZTE AMIGO/A DE ELLA

Para ello, te invito a seguir los cinco pasos para sobreponerte a la ansiedad.

Paso 1: Listado de situaciones que te provocan ansiedad.
En primer lugar, te propongo que hagas una lista, lo más larga posible, de situaciones en las que se manifiesta tu pro-

blema de ansiedad. Ten en cuenta que, cuando hablo de situaciones, me refiero a actividades, conductas, lugares e incluso pensamientos, recuerdos o imágenes que te provoquen miedo. No obstante, es importante que todas ellas se refieran al mismo temor. Aunque puedas tener diferentes miedos patológicos a la vez, lo mejor es trabajarlos uno a uno empezando por el que más problemas te cause en tu vida. Por ejemplo, si fueras excesivamente tímido/a y a la vez, tuvieras mucho miedo a las cucarachas, normalmente hablaríamos de dos temores diferentes sin una base común. Sin embargo, miedo a conducir por los puentes y también a los sitios cerrados pueden ser manifestaciones del mismo temor, por ejemplo, a desmayarse donde no podemos recibir ayuda o de donde no se puede salir corriendo. Para que lo comprendas mejor, a continuación incluyo tres listados de pacientes diferentes que sufrían problemas de ansiedad.

Temor de Inés: Vomitar en un sitio público	Temor de Paco: Que su novio deje de quererlo	Temor de Inma: Morirse joven de un infarto
Situaciones que le provocan ansiedad: – Montarse en el coche con desconocidos. – Comer helados delante de la gente. – Montarse en atracciones tales como la montaña rusa. – Ir al cine. – Ir al teatro. – Ir a la playa. – Recordar la última situación en la que vomitó de verdad.	Situaciones que le provocan ansiedad: – Estar un día entero sin hablar con él por teléfono. – Ver a su novio hablar con otro hombre. – Ver fotos de su novio con su ex pareja. – Que su novio salga con sus amigos sin él. – Salir juntos a los bares de ambiente. – Pensar en la ex pareja de su novio.	Situaciones que le provocan ansiedad: – Hacer deporte. – Nadar y sobre todo bucear. – Tomar café, té y Coca-Cola. – Conducir. – Montarse en transporte público. – Estar en sitios con mucha gente. – Comprar en grandes supermercados. – Pensar en enfermedades o ver series sobre médicos.

Aunque a veces parezca difícil percibir la relación entre el temor y las situaciones en las que se manifiesta, cada uno de estos listados representan un miedo determinado. Por ejemplo, dado que Inés tenía mucho miedo a vomitar en sitios públicos, temía comer helados, porque estaba convencida de que podían sentarle mal. Igualmente, evitaba ir a los cines, teatros y playas porque pensaba que le iba a resultar muy difícil esconderse de los ojos de la gente si tuviera que hacerlo en estos sitios. Por su parte, Inma temía conducir porque pensaba que si le diera un infarto al volante iba a morir seguro. Lo mismo podría pasarle en cualquier sitio de donde no pudiera salir con facilidad, como por ejemplo, sitios con mucha gente o el transporte público. Y en cuanto a Paco, éste sufría mucha ansiedad al ver las fotos de su novio con el ex, dado que eso le recordaba que no es el «único» y que tal vez le iba a dejar como lo hizo con su pareja anterior. Todos ellos evitaban gran parte de esas situaciones y, por ello, sus vidas se han visto cada vez más limitadas.

Ahora te propongo que tú también compongas un listado de situaciones que te provocan ansiedad. Aunque pueda resultar difícil, haz un esfuerzo para que sea lo más largo posible. Cuantas más situaciones escribas, mejor. Presta especial atención a todo lo que te da miedo y, por tanto, has dejado de hacer y evitas a toda costa. Éstas serán las situaciones que mejor nos servirán para que por fin te sobrepongas a tu ansiedad.

Temor de _____
(tu nombre):_____

Situaciones que te provocan ansiedad:

Paso 2: Valora la ansiedad y marca con asterisco las situaciones que puedes practicar.

El segundo paso consiste en valorar cada situación en cuanto al nivel de ansiedad que te provoca. Aunque puedas pensar que todo lo que has escrito te aterra, estoy convencida de que puedes pensar en situaciones relacionadas con tu ansiedad que sólo provoquen sus niveles moderados. Por ejemplo, a una persona muy tímida, le podría provocar algo de ansiedad preguntar la hora a un desconocido y muchísima ansiedad hablar delante de cien personas. Igualmente, a una persona con recuerdos traumáticos, le podría provocar niveles altísimos de ansiedad el hecho de acudir al sitio donde ocurrió y niveles mucho más bajos ponerse el mismo jersey que el día del suceso.

Por tanto, te propongo que asignes valores de 0 (nada) a 10 (altísimo) a cada una de ellas, procurando encontrar situaciones de diferentes niveles de ansiedad: bajos, moderados y altos. Asigna un número correspondiente al nivel de ansiedad en cada situación al lado de la misma en la tabla incluida en el punto anterior. Posteriormente, elige 10 situaciones de distintos niveles y ordénalos de mayor a menor. Veamos un ejemplo de mi paciente Soraya, que tenía miedo a conducir.

MIEDO A CONDUCIR	
Situación	**Nivel de ansiedad**
Conducir de Sevilla a Cádiz de noche, sola.	10
Conducir de Sevilla a Cádiz de noche, acompañada.	9
Conducir de Sevilla a Cádiz de día, sola o acompañada.	8
Conducir por Sevilla.	7
Conducir por mi barrio en Sevilla.	6
Conducir desde mi calle al supermercado (3 cruces).	5
Sentarme al volante, ajustar los retrovisores, ponerme el cinturón de seguridad y arrancar el motor.	4
Sentarme al volante.	3
Repasar los apuntes de la autoescuela.	2
Ver coches que me gustan en Internet.	1

Igualmente, te propongo hacer tu lista de situaciones que te provocan distintos niveles de ansiedad.

MIEDO A _____	
Situación	**Nivel de ansiedad**
	10
	9
	8
	7
	6
	5
	4
	3
	2
	1

Paso 3: Racionaliza los pensamientos e instrúyete.

El siguiente paso consiste en imaginar la situación y captar los pensamientos que podrían aparecer en la misma y provocarte ansiedad. Utiliza las tablas que has trabajado en los capítulos sobre los pensamientos irracionales. Sobre todo las dos que incluyo a continuación (véase capítulo «Empieza por los pensamientos» y «Cómo puedo hablarme»). Anticípate al acontecimiento y posibles pensamientos y discútelo con fuerza y entusiasmo. Utiliza las siguientes tablas:

Acontecimiento y pensamientos irracionales:	
Discusión del pensamiento irracional:	

Situación que me provoca ansiedad:
Autoinstrucciones:
1. Situación:
2. Pensamientos:
3. Objetivos:
4. Autoinstrucción:
5. Autorrefuerzo:

Igualmente, en esta etapa puedes ensayar las situaciones haciendo simulacros con ayuda de alguien, sillas vacías, etc.

Paso 4: Exponerte a las situaciones de ansiedad moderada-baja.

Una vez discutidos los pensamientos irracionales, te propongo exponerte a las situaciones que te provoquen ansiedad moderada-baja, aproximadamente de 4 o 5.

Dicha exposición consiste en hacer justo lo que nos provoca ansiedad, a propósito y de manera consciente. Así, poco a poco, verás que estas situaciones no son realmente peligrosas, y si permaneces en ellas, no ocurrirá nada malo. Las instrucciones detalladas se encuentran en el siguiente cuadro:

Instrucciones para llevar a cabo la exposición[1]

1. Elige la situación que te provoca entre 4 o 5 de ansiedad de la jerarquía de exposición confeccionada anteriormente.
2. Decide dónde y cómo vas a llevar a cabo los ejercicios. Planifícate bien (dentro de lo que cabe y sin exagerar) para no encontrarte con muchas sorpresas.
3. Intenta no anticipar mucho la situación en tus pensamientos. Utiliza estrategias que ya hemos aprendido (como las auto-instrucciones o discusión de pensamientos) para no aumentar la ansiedad antes de la exposición.
4. Decídete y no cambies de opinión. Métete de lleno en la situación temida y experimenta la ansiedad tal como es, sin aumentarla o disminuirla. Siéntela tal cual y date cuenta de que tan sólo es ansiedad y que ésta no tiene poderes sobre ti. Es tan sólo un momento, tan sólo una emoción y en realidad no es nada. Por eso, hazte amigo/a de ella. Ciertamente, no es una compañera agradable, pero ¿cuántas veces has tenido que convivir con compañeros/as desagradables en el trabajo, escuela, vecindario, etc.?
5. Intenta mantener tu cuerpo relajado (utilizando la respiración lenta y/o la relajación muscular) y «oblígate» a pensar de manera racional. Sin embargo, no utilices ninguna otra estrategia para tranquilizarte. En este ejercicio, se trata de «mirar la ansiedad a los ojos», por tanto, no mires hacia el otro lado. Sería contraproducente:

   a. Desviar la atención y pensar en otra cosa.
   b. Distraerte (por ejemplo, mirando hacia el otro lado, contando, cantando, etc.).
   c. Tomar ansiolíticos u otras sustancias (por ejemplo, alcohol, drogas, etc.) antes, durante o después de la exposición.
   d. Utilizar conductas de seguridad (por ejemplo, llevar objetos que te dan seguridad, ponerte cierto tipo de ropa, más maquillaje de lo habitual, gafas de sol, repetir ciertas palabras o hacer rituales, etc.).

6. Permanece en la situación el tiempo suficiente como para que los niveles de ansiedad bajen notablemente. Te darás

[1] Ten en cuenta que se trata de unas pautas generales que, con frecuencia, se modifican dependiendo de cada persona. Por tanto, lo mejor que puedes hacer es consultarlas con tu terapeuta. Cada una de esas pautas incluye implícito: «A no ser que tu terapeuta indique lo contrario».

cuenta de que ésta no se mantiene alta todo el tiempo y que al principio sube para después disminuir, poco a poco. Espera el tiempo que haga falta y no abandones la situación cuando ésta es alta. Si lo haces, conseguirás el efecto contrario y probablemente tu miedo empeorará.

7. Repite la misma situación, una y otra vez, hasta que ya te provoque niveles bajos de ansiedad, de más o menos 2. Cuando eso ocurra, pasa a la siguiente situación que te provoca entre 5 o 6 de ansiedad. El procedimiento a seguir es el mismo que ya se ha descrito en los puntos anteriores. Es posible que, después de exponerte a ciertas situaciones, otras circunstancias parecidas dejen de provocarte ansiedad. Al ser así, elabora una nueva jerarquía y empieza por un 4 o 5 de ésta.

8. La recuperación no suele ser lineal y te darás cuenta de que a veces avanzas más, otras veces menos y en ocasiones irás hacia atrás. En este último caso, vuelve hacia atrás si es necesario. No obstante, no te quedes ahí y empieza nuevamente a avanzar hacia adelante desde el mismo momento de tu retroceso.

9. Recuerda que la exposición es, en cierto modo, parecida a otro tipo de actividades de aprendizaje. Por tanto, es importante que dure el tiempo necesario, que sea frecuente y regular. Si puedes exponerte todos los días, ¡sería lo ideal! Si no puedes, intenta que sea unas cuantas veces a la semana.

Imagino que la gran mayoría de los lectores han aprendido alguna vez una habilidad como hablar un idioma extranjero, tocar un instrumento, bailar, montar en bicicleta, etc. Si lo has hecho, ¿con qué frecuencia practicabas? ¿Crees que podrías, por ejemplo, aprender a bailar salsa dando una clase cada dos meses? Quizá sí, en varios años, pero probablemente ni siquiera lo conseguirías con el tiempo porque te olvidarías de todo lo que se había practicado en la clase anterior. La exposición es igual y es importante que sea frecuente.

Utiliza la respiración lenta y la relajación muscular descritas anteriormente, durante la exposición y controla tus pensamientos mediante autoinstrucciones. Sea como fuese, ¡no salgas corriendo! Aguanta hasta que notes que la ansiedad ha bajado a un nivel de más o menos 2. Entiendo que este momento no te resulte agradable, pero es crucial, quizás el más importante de todo el proceso de tu recuperación. Repite esa exposición una y otra vez hasta que la situación tan sólo te provoque un nivel de 2 durante la exposición. Para que ésta se pueda realizar correctamente, te recomiendo utilizar un registro en el que apuntaremos la situación, los pensamientos antes de la exposición, pensamientos racionales y los niveles de ansiedad antes, durante y después de la misma. Lo incluyo a continuación.

Situación a la que me expongo	Pensamientos antes	Nivel de ansiedad antes (de 0 a 10)	Pensamientos racionales	Nivel de ansiedad durante la exposición (de 0 a 10)	Nivel de ansiedad después (de 0 a 10)

Las primeras cuatro columnas se rellenarían antes de llevar a cabo la exposición y las dos últimas inmediatamente después. Una vez realizada la exposición, te recomiendo que analices tus puntos fuertes y las posibles dificultades a corregir la próxima vez. Para que te resulte más fácil, puedes analizar el registro hecho por Juanjo.

Situación a la que me expongo	Pensamientos antes	Nivel de ansiedad antes (de 0 a 10)	Pensamientos racionales	Nivel de ansiedad durante la exposición (de 0 a 10)	Nivel de ansiedad después (de 0 a 10)
Pedir el número de teléfono a una chica atractiva en un bar.	Me va a decir que estoy loco. Me va a rechazar y eso será horroroso.	4	No hay ningún buen motivo para que me rechace y, aunque ocurriese, no sería horroroso, sólo desagradable.	3	3

Paso 5: Sube los escalones hasta llegar al 10.

Cuando las situaciones de niveles 4 y 5 lleguen a provocarte un 2 de ansiedad, estás listo/a para subir un escalón. Ahora puedes exponerte a la situación que te provocaba un 6 o un 7, una y otra vez, hasta llegar a un 2, más o menos. Ve subiendo hasta exponerte a la última situación, la que te provocaba un 10. Si con el tiempo aparecen nuevas situaciones, incorpóralas a la tabla.

Paso 6: Prémiate por tus logros.

En realidad, no se trata de un paso más porque lo mejor que puedes hacer es premiarte por todo lo que consigas durante todo el proceso. No obstante, lo describo por separado, ya que es crucial reconocer y premiarte por tus logros. Si superas un obstáculo o te expones con éxito a una situación que te provoca ansiedad, dite a ti mismo/a que lo has hecho fenomenal, que te sientes orgulloso/a y hasta hazte un regalo. Éste puede ser material o, incluso mejor, que sea no material, como por ejemplo un paseo agradable, tiempo libre, actividades placenteras, ver películas que te gusten, ponerte guapo/a, quedar con amigos, etc.

11. ¿Y SI SOY UN CASO PERDIDO...?

Espero que en este momento ya no creas ser un caso perdido, aunque entiendo que tus problemas sean importantes para ti y probablemente te provoquen bastante sufrimiento. En cuanto a los problemas psicológicos, estoy convencida de que éstos se pueden solucionar independientemente de la edad, el pasado, el futuro o las circunstancias de la persona. A veces puede ser más difícil, otras veces más sencillo pero… ¡podemos conseguirlo![1]

No obstante, también es natural que a veces sientas que estás en un callejón sin salida o en un pozo sin fondo y creas que tu problema no tiene solución. Como mis pacientes, a veces estarás ilusionado/a con los avances y después tendrás pequeñas o grandes caídas a lo largo de las cuales pensarás que estás igual o peor que antes. La recuperación no suele ser lineal y, a veces, hay que dar pasos hacia atrás para después arrancar de nuevo buscando estrategias que, finalmente, te conducirán a tu objetivo. No te desanimes cuando des pasos hacia atrás. Éstos son normales y la superación de esas dificultades te ayudará a comprender mejor el problema para, en última instancia, poder solucionarlo. Recuerda que una caída no es lo mismo que una recaída, la última supondría que estás igual que al principio y eso es poco probable.

Evidentemente, cada persona es un mundo y cada problema es diferente. No obstante, estoy convencida que la psicología puede ayudar a casi todas las personas con ansiedad.

---

[1] Si después de la lectura de mi libro deseas contactar conmigo, estaré encantada de ayudarte o compartir contigo tus experiencias. Puedes escribirme al consulta@psicologiasevilla.es, visitar mi página web: www.psicologiasevilla.es o buscarme en el Facebook. ¡Espero tus noticias!

Obviamente, se trata de una emoción normal y nunca vamos a pretender que ésta desaparezca. Cuando se trata de ansiedad patológica, ésta puede dejar de controlar tu vida y puedes sobreponerte a ella. Si todavía no lo has conseguido, lo más importante es no rendirte.

Tal y como he comentado varias veces a lo largo de este manual práctico, ningún libro puede sustituir la ayuda de un buen terapeuta. Por eso, si tu problema de ansiedad no ha desaparecido «milagrosamente», ¡no hay nada extraño en ello! Te animo a que busques un buen psicólogo de orientación cognitivo-conductual que te guiará a lo largo de tu proceso de recuperación. Date tiempo, ya que los grandes cambios se consiguen poco a poco, pasito a pasito. Analiza tu progreso y, si notas que has mejorado, aunque sea un poquito, es una buena señal porque significa que probablemente podrás avanzar mucho más. Por otra parte, si crees que no has avanzado con tu terapeuta, háblalo con él/ella abiertamente y, si pasa tiempo sin haber mejoría, cambia de psicólogo/a e inténtalo de nuevo. En cuanto a los/as psicólogos/as, obviamente, cada uno tiene su estilo y forma de trabajar e incluso el/la mejor psicólogo/a no suele ser capaz de ayudar a todo el mundo. Por el contrario, cualquier persona puede encontrar un/a psicólogo/a adecuado/a para que le proporcione dicha ayuda.

ACTÚA PARA SOBREPONERTE A LA ANSIEDAD

Incluso en los momentos de desesperación, la mejor opción suele consistir en actuar de acuerdo con nuestros objetivos. Si nos quedamos parados, lamentándonos de la situación, es prácticamente imposible que ésta se solucione. En estos momentos, te invito a reflexionar sobre cómo puedes actuar para sobreponerte a tu problema de ansiedad. Puedes incluso repasar todos los capítulos de este libro y darte cuenta de cuáles son tus puntos fuertes y tus puntos débiles. Para facilitarte la tarea, puedes utilizar la tabla que incluyo a continuación.

¿Cuáles son tus objetivos?	¿Cómo seguir persiguiendo tus objetivos?	¿Qué pensamientos has cambiado?
_____ _____ _____	_____ _____ _____	_____ _____ _____
¿Cuáles son tus puntos fuertes?	¿Cuáles son tus puntos débiles?	¿Qué pensamientos te siguen trayendo problemas y vas a cambiar a continuación?
_____ _____ _____	_____ _____ _____	_____ _____ _____
¿Qué pasos has dado hasta ahora?	¿Cuál es tu siguiente paso?	¿Qué acciones has llevado a cabo?
_____ _____ _____	_____ _____ _____	_____ _____ _____
¿Qué mejorías has conseguido?	¿Qué mejorías deseas conseguir ahora?	¿Qué acciones llevarás a cabo a continuación?
_____ _____ _____	_____ _____ _____	_____ _____ _____

Veamos cómo rellenó la tabla mi paciente Enrique.

¿Cuáles son tus objetivos?	¿Cómo seguir persiguiendo tus objetivos?	¿Qué pensamientos has cambiado?
Vencer mi continua preocupación por mis hijos y mi pareja. Disminuir la ansiedad que experimento cuando están fuera de casa, llegan tarde o no me cogen el teléfono.	*Lo mejor es seguir discutiendo mis pensamientos irracionales y ahora es muy importante actuar.*	*Cuando mi mujer está fuera de casa, tarde o temprano, le pasará algo horrible.*
¿Cuáles son tus puntos fuertes?	**¿Cuáles son tus puntos débiles?**	**¿Qué pensamientos te siguen trayendo problemas y vas a cambiar a continuación?**
Consigo autoinstruirme y a menudo discuto los pensamientos irracionales. Parece que ya está siendo una costumbre.	*Sigo llamando por teléfono con mucha frecuencia y comprobando de otra manera si mi familia sigue bien.*	*Si mi hijo pequeño llega tarde, es probable que haya tenido un accidente de coche.*
¿Qué pasos has dado hasta ahora?	**¿Cuál es tu siguiente paso?**	**¿Qué acciones has llevado a cabo?**
He discutido los pensamientos irracionales y he ensayado una y otra vez las autoinstrucciones.	*Exponerme a mis temores y actuar para sobreponerme a la ansiedad.*	*Disminuir el número de llamadas a mi mujer que realizo al día, de 15 a 5.*
¿Qué mejorías has conseguido?	**¿Qué mejorías deseas conseguir ahora?**	**¿Qué acciones llevarás a cabo a continuación?**
Ha bajado mi nivel de ansiedad cuando mi mujer está trabajando fuera de casa.	*Disminuir la ansiedad cuando mi mujer llega tarde a casa.*	*Disminuir el número de llamadas que realizo a mis hijos y a mi mujer y dejar que vuelvan solos a casa (no recogerlos).*

Ahora lo que queda es ponerlo todo en práctica. ¡Mucho ánimo! Quizás no te lo creas pero si lo haces, los resultados serán sorprendentes.

REFERENCIAS

Álava Reyes, M. J. (2003). *La inutilidad del sufrimiento.* Madrid: La Esfera de los Libros.

Barraca, J. (2005). *La mente o la vida: Una aproximación a la terapia de aceptación y compromiso.* Bilbao: Desclée de Brouwer.

Botella, C. y Ballester, R. (1997). *Trastorno de pánico: Evaluación y tratamiento.* Barcelona: Martínez Roca.

Buela-Casal, G. y Sierra, J. C. (2004). Evaluación y tratamiento de los trastornos del sueño. En G. Buela-Casal y J. C. Sierra (eds.), *Manual de evaluación y tratamientos psicológicos* (pp. 393-438). Madrid: Biblioteca Nueva.

Burns, D. (2002). *El manual de ejercicios para sentirse bien.* Barcelona: Paidós.

Capafons, A. (2001). *Hipnosis.* Madrid: Editorial Síntesis.

Damasio, A. (2001). *El error de Descartes.* Barcelona: Biblioteca de Bolsillo.

Echeburúa, E. (1993). *Ansiedad crónica: Evaluación y tratamiento.* Madrid: Eudema.

Ellis, A. (2007). *Usted puede ser feliz.* Barcelona: Paidós.

Ellis, A. y Harper, R. (2003). *Una nueva guía para una vida racional.* Barcelona: Obelisco.

Jacobson, E. (1938). *Progressive Relaxation.* Chicago: University of Chicago Press.

Knaus, W. J. (2006). *The cognitive-behavioral workbook for depression.* Oakland: New Harbinger.

Lang, P. J. (1985). The cognitive psychophysiology of emotion: Fear and anxiety. En A. H. Tuma y J. D. Maser (eds.), *Anxiety and the anxiety disorders* (pp. 131-170). Hillsdale, Nueva Jersey: Erlbaum.

LeDoux, J. (1996). *El cerebro emocional.* Barcelona: Ariel/Planeta.

Luoma, J. B., Hayes, S. C. y Walter, R. (2007). *Learning ACT: An Acceptance and Commitment Therapy Skills Training Manual for Therapists.* Oakland: New Harbinger.

McKay, M. y Fanning, P. (2000). *Self-Esteem: a proven program of cognitive techniques for assessing, improving and maintaining your self-esteem*. Oakland: New Harbinger.

Meichenbaum, D. (1975). Self-instructional methods. En F. H. Kanfer y A. P. Goldstein (eds.), *Helping people change* (pp. 357-391). Nueva York: Pergamon Press.

Nardone, G., Loriedo, C., Zeig, J. y Watzlawick, P. (2008). *Hipnosis y terapias hipnóticas*. Barcelona: Integral.

Sierra, J. C. y Buela-Casal, G. (1997). Prevención de los trastornos del sueño. En G. Buela-Casal, L. Fernández-Ríos y T. J. Carrasco Giménez (eds.), *Psicología preventiva. Avances recientes en técnicas y programas de prevención* (pp. 275-285). Madrid: Pirámide.

Wilson, K. G. y Luciano Soriano, M. C. (2007). *Terapia de aceptación y compromiso (ACT)*. Madrid: Pirámide.

Zych, I. (2010). *SOS... Cómo recuperar el control de tu vida*. Madrid: Pirámide.